ハードボイルド／ハードラック

吉本ばなな

幻冬舎文庫

装画：奈良美智　装丁：中島英樹

ハードボイルド／ハードラック

目次

ハードボイルド

1、祠

私はあてもなくひとり旅をしていて、ある午後、その山道を歩いていた。

国道から一本山側の、緑にこんもりと覆われたいい感じの道だった。

私は光と影が作る美しい模様を見ながらその道を歩き始めた。

その時はとてものんきな、散歩を始めるような気持ちだった。

地図を見ると、その道はやがて国道に合流することになっているハイキングコースとしてしるされていた。

春のように暖かい午後の光の中、私は気分よく歩き続けた。

しかし思ったよりも道は険しく、坂道がたくさんあった。

そうして一生懸命歩いているうちにだんだん日が暮れてきて、鮮やかな藍色の空にはいつの間にか宝石のようにくっきりとした光をたたえた宵の明星が輝いていた。まだ薄いピンク色を残している西の空には晩秋の細い雲が柔らかい色に染まって次第に闇にのまれていくところだった。月も出ていた。爪のような細い細い月だった。

「このまま行くと、いったいいつ頃、町に着くことができるんだろう。」

と私はひとりごとを言った。あまりにも長く黙って歩いていたので、自分の声を忘れそうだった。ひざがだるく、つま先が痛くなり始めていた。

「ホテルにしておいてよかった、晩ごはんの時間には間に合いそうもないや。」

電話を入れておこうと思ったが、山奥過ぎて携帯電話が通じなかった。にわかにおなかもすいてきた。もう少ししたら、私が予約しているホテルがある小さな町に着くはずだった。そうしたら、その町でなにか温かいものを食べよう、私はそう思って少し歩調を速めた。

街灯の明かりが届かない、少し奥まったカーブにさしかかる時、突然、すごくいやな感じがした。ぐにゃりと空間が歪《ゆが》んで、歩いても歩いても前に進まないような錯覚にとらわれた。

私には、全く超能力というものはなかったけれど、ある時期から目に見えないものを少し感じるようになった。

私は女性でありながら、一度だけ、女性とおつきあいしたことがあった。その人には人に見えないものが見えた。一緒に住んでいたらいつの間にかつられたのか鍛えられたのか、私もなにかの気配くらいはわかるようになってきたのだ。

彼女とは、数年前に、ドライブに行った先のこんな山道で、永遠に別れた。その日は私が車を運転していた。彼女はもう同じ家に帰ることができなくなるのなら、しばらく旅をしてから帰るから、ここで私を降ろして、と懇願した。真剣だった。どうりで荷物が多いと思った、と私は言い、旅に出る前から彼女

は一緒に帰るつもりがなかったことを悟った。彼女にとって私が彼女の部屋を出ることは私が思っていたよりも重大な裏切りだった。いくら話し合っても、彼女の決心は固かった。私が、ここで降ろさなければ殺されるのではないか、と感じるほどに。

彼女は言った。

どうしても、あなたが家を出て行くところを見たくないの。ゆっくりと帰るから、先に帰っていて。そして私が帰る頃には、もう荷物を運び出しておいて。と。

私はそうした。それは彼女の車だったのに、そうした。

別れた時のあの、顔。寂しい目、顔にかかる髪の具合。バックミラーにいつまでも映っていたあのベージュのコートの色。山の緑にのみこまれそうだった彼女の存在。いつまでも、いつまでも手を振っていた。いつまでもそこで私を待っていそうだった。

誰かにとってなんでもないことでも、他の誰かにとって死に等しいほどつらいということもある。私は彼女の人生のくわしい話をよく知らなかった。でも、誰かが目の前で荷物をまとめて自分の部屋を出て行くということが、そんなにもつらいというのが理解できなかった。それを相性が悪いというのかどうかはわからない。私は確かに住む所がなくて彼女を利用した。本当のところ、女性である彼女とずっとつきあっていくつもりもなかった。その時の同居人である彼女が私を好きだったから、肉体関係に応じたというだけだった。でも、彼女はそうではなかったと気づいた。いや、どこかでそれを知っていたのに気づかぬふりをしていた。私は深く反省した。彼女のことは、どうしていいかわからない記憶として、私の中で保留になったままだった。

思い出はいくつもの画像の固まりとなって、容赦なく私の心を暗くした。

私は気をとり直して一生懸命歩こうと、ふっと前を見た。そこには謎の祠《ほこら》があった。お地蔵さんもなく、だからといって他のなんの像があるわけでもない

のに、祠だけがあって、花や折鶴やお酒が供えられていたが、どれももう新しいものではなかった。ふと浮かんできた考えを私は止めることができなかった。

「このあたりにいたとてつもなく邪悪な存在がここに眠っているんだ、きっと。」

　なんでそう思ったのか説明はできない。もともとは地蔵かなにかがあって壊れただけかもしれない。誰かが持ち去っただけかもしれない。そう思おうとした。でも違った。どう考えても、そこにはなにかものすごく重い念が幾層にも重なって濃厚な固まりになったようなものが漂っていた。あまりにも気味が悪かったので、私はじっと見てしまった。

　よく見ると真ん中に小さい卵みたいな真っ黒い石が十個くらい輪になって置いてあった。それもまたとてもいやなものだった。

　私は足早に、なるべくそこを見ないで立ち去った。そういうことは、旅をしているとたまにあった。この世には、なにかがふきだまっている場所が確実に

存在し、そんなものには小さな個人はなるべくかかわらないほうがいい。

　昔、バリやマレーシアで見たぞっとするような洞くつや、カンボジアやサイパンで感じた、戦争の残した切実な暗い念に満ちた、様々な場所のことを思い出した。父の仕事について行って、小さい頃からそういう場所に接することが多かったのも、カンがよくなった一因かもしれない。そういえば、いやな場所だなあ、と思う所には、聞いてみるとたいていなにか事故や事件があった。

　でも私は生きた人間がいちばんこわい。生きた人間に比べたら、場所はどんなにものすごくても場所に過ぎないし、どんなにこわくても幽霊は死んだ人に過ぎないと思っていた。いちばんこわいことを思いつくのは、いつでも生きた人間だといつも思った。

　角を曲がると、ふっと肩からいやな感じが抜けて、また静かな夜の気配が私を包んだ。

　夜がすとんと幕をおろし、あたりは気持ちのよい澄んだ空気に満ちていた。

風が吹くと、薄闇の中、色とりどりの紅葉の落ち葉がこちらに向かって舞い上がり、美しい夢の織りなす布に巻かれているような気分だった。

それで私はすっかりこわさを忘れ、歩き続けた。


やがて坂道がゆっくり下りになり、道が広くなった。そして、明かりが木の影からたくさん見えるようになったかと思うと、突然、小さな町にたどり着いた。道の両脇に小さな商店が並び、無人駅のホームがこうこうと照らされ、人影はほとんどなかったが、家々には明かりがともっていた。

居酒屋にはもう、仕事を終えた町のおじさんたちが陽気に集っていたので入りにくく、私はさびれたうどん屋に入ることにした。

うどん屋のおじさんはもうのれんを入れるところでとても迷惑そうだったが、どうぞ、といやいや言ってくれたので、歩き疲れてとにかくすわりたかった私は、中に入った。

コンクリートの床にテーブルが四つしかない、小さな店だった。百年前から切らしていそうな七味とうがらしのからっぽの瓶が、テーブルの上に置いてあった。

おじさんは慣れた手つきでうどんをゆでると、はいよ、と私の前に置いた。TVのバラエティー番組の音が店内に流れていたが、それがまた寂しい雰囲気をよりいっそう引き立てていた。私は、うどんのあまりのまずさにおののき、ビール下さい、と言ってみたが、ない、と言われた。こんなことなら、高くてまずいとわかっていながらも、ホテルのレストランで食べればよかった…と思った。

おじさんは貧乏ゆすりをしながら私の食べ終わるのを待っているし、うどんはまずくてぬるく、しかもぶちぶち切れ、食べにくかった。私は気晴らしに宿の場所でも調べるか、と思い、ポケットに手を入れて、地図を引っぱり出した。すると、ことん、と音がしてなにかが地面に落ちた。

私は心底ぞっとした。

それは、あの、気味悪い祠にあったのとそっくりの、卵型の黒い石だった。

まさかね、あれじゃないよね、偶然だよね、と思おうとしたが、納得できなかった。まさか、あの時、こわさにくらっとなって自分でポケットに入れておいて忘れたとか？　とも思おうとしたが、できなかった。それなら自分がこわいわけだが、そのほうがこのこわさよりもよっぽどましだと思った。

私はしーんとした気持ちでしばらくその石を見ていたが、もう忘れて、この感じの悪いうどん屋さんの床に放って行くことにした。もうついてこないでよ、と思いながら。

心の中の冷静な面は「石が自分で入ってくるわけない、さっきお昼に外でお弁当を食べた時にでも入った別の石なのだろう。」と語っていたが、もう深く考えるのをやめることにした。

早くホテルに着いて部屋に入りたいと思った。TVを観たり、髪を洗ったり、

お茶を飲んだり、普通のことを普通にしようと思った。そうだ、ホテルには温泉があると書いてあった。体を湯の中で伸ばそう…。

おじさんが店の中を掃除し始めたので、私はうどんを残して立ち上がった。おじさんの持っているほうきがさっきの石をころん、と店の端にはいたのを最後にちらりと見た。

2、　ホテル

フロントはすでに暗く、ロビーに敷いてあるじゅうたんは薄汚れてかび臭かった。でも、そういう所に泊まるのは慣れていたので、なんとも思わなかった。とにかくたどり着いた喜びでいっぱいだった。

何回も呼び鈴を押したら、やっと奥の和室からおばさんが出てきた。五十代なかばくらいの痩《や》せたおばさんで、目が鋭かった。

おばさんはこんな遅くになんで到着するの、と言いたそうにしていたが、私が食事していないことを告げると、いきなり優しくなった。

レストランが十時までやっているから、今すぐ入れば間に合うけど、もしも確実に降りてくるなら、事情を話して開けておいてもらってあげるから、一回部屋に上がって荷物を置いてきなさい、このへん唯一のラーメン屋さんは今日定休日なのよ、とおばさんは言った。

私はすぐに降りてきますからお願いします、と告げて部屋に上がった。荷物を置き、汗臭い靴下を脱いで、あわてて下へ降りて行った。

もちろん、その薄暗いレストランには私しかいなかった。テーブルの上の妙な花瓶には蘭の造花がささっていた。花柄のお皿に注がれたポタージュスープはもちろん、缶詰めの味がした。日本人はいつどこでなにをどう間違えてこれらを上品さの標準装備とみなしたのだろう。でも、スープと、硬いパンと、小瓶のビールは私の胃袋をやっと温めた。

窓の外には、暗い山と、暗い町が見えた。街灯の明かりが点々とはるかに続いていた。私は、どこでもない所に来てしまった気がした。もうどこにも帰ることはできないような気がした。あの道はどこにも続いていないし、この旅に終わりはなく、朝はもう来ないような気がした。そして、幽霊の気持ちがわかるような気がした。彼らはこんな時間に永遠に閉じこめられているのではないか、と思った。そして、なんで幽霊の気持ちについてなど考えているのだろう、と不思議に思った。疲れているのだろうと思った。

ふと、また窓の外を見ると、空が少し明るかった。そして、ホテルの窓の下をけたたましく消防車と救急車が通って行った。いやな感じがして立ち上がり、会計を済ませた。

浴衣《ゆかた》を持って風呂へ行こうとフロントを通ったら、さっきのおばさんが寒そうに外から帰ってきたところだった。

「どうしたんですか?」

私はたずねた。

「うどん屋さんが火事だって。」

おばさんは言った。ああ、なんてことだろう、と思って、私はたずねた。

「どなたか亡くなりましたか？」

私の雰囲気をじっと見つめて、おばさんはしばらく黙っていた。私はつけ加えた。

「さっき、うどんを食べたんです。でも食べ切れずに出てきてしまったので、まさかあのお店かな、と思って。」

と言った。

「あんた、晩ごはん食べてないって…ああ、まあ、そうよね。あそこまずいもんね、地元の人も行きゃしないのに、都会の人の口に合うわけないよね。わかるよ。」

おばさんは言った。おばさん、なかなか鋭い！　と私は思った。ただでさえ

後味が悪いのに、言いたくないことを言わなくて済んだ。

「誰も亡くなってないよ。あそこおじさんがひとりだけど、無事逃げ出したって。店のストーブの火の不始末だってさ。だいたい、ぼやだったみたいよ。」

おばさんは笑った。

「あんたのせいじゃあるまいし、風呂に入ってきな。」

いや、私のせいかもしれないんです、なんとなくだけど…と私は思った。

そして風呂に向かった。本当は逃げ出したかった。違う町に、今日以外の時間の中に。しかし私はもうすっぽりとこの夜に、この寂しくおかしな雰囲気の中に体ごと入りこんでしまっていた。もうすでに目に映るもの全てになにかのフィルターがかかっていて、なにもかもをまともには考えられなくなっている、そんな気がした。この夜の力に捕らえられてしまった。

温泉で満たされた小さな浴槽の、古いタイルのきれいな模様が水に揺れるの

を見ていたら、少し気持ちがゆったりとしてきた。

湯は熱く、体の疲れや足の痛みにしみていった。蛍光灯の明かりの下で、ゆっくりと体を洗った。

早く朝になってほしかった。この温泉に身をひたすように、あのまぶしくてなにもかもを浄《きよ》めてくれる朝の光に体をさらしたかった。まるで高熱がある時に通常の生活を思い浮かべることができないように、この夜の中でしか今は生きられないのがわかっていたからだ。

顔を冷やそうと窓を開けた。外は暗く静まり返り、星が冷たく輝いていた。木々はねっとりとした闇にからめとられたように少しも枝を揺らさず、時間は静止していた。

それはちょうど、千鶴といた時の時間のようだった。

なぜ今日はこんなにも彼女のことを思い出すのだろう、と私は思った。

下を見ると自分の裸が見えた。変わりばえのしない白い足と腹、爪の形が見

えた。そして唐突に思い出した。そうか、今日は彼女の命日だったんだ。

私は外の小さな星に、彼女の冥福を祈った。

彼女の善《よ》いところを、貴重だった性質を、か細い面影を、どうか神も理解してくれるようにと。彼女には特別柔らかい天蓋《てんがい》つきのベッドを。特別甘い天国のお酒を。特別楽ちんな転生を。私の寿命を一年くらいへらしてもいいから、どうせ長生きしそうだし、お願いします、と。

なんとなく納得がいって、すっかりゆだった私は部屋へと戻った。

3、夢

温泉に入って体の疲れがすっかりゆるんだ上に、冷蔵庫に入っていた冷酒を飲んだので、私はすぐにベッドに倒れこんでしまった。荷物も解《ほど》かず、備えつけの浴衣を着て、ベッドサイドの明かりも消し忘れて、眠りの世界に入ってし

まった。部屋にはベッドしかなく、窓の外は裏山だった。今度目が開いたら、この、陽にやけてしまったカーテンを照らして、朝日が入ってくるはずだ、と思いながら眠りに沈んでいった。今日体験したちょっと気味悪いことも、もう過ぎ去ったことになっているだろう…。眠る直前によぎったその考えは私をほっとさせた。

しかし、世の中はそんなに甘くなかった。

時間は、伸び縮みする。伸びる時にはまるでゴムのように、永遠にその腕の中に人を閉じこめる。そう簡単には出してくれない。さっきいた所にまた戻り、立ち止まって目をつぶっても一秒も進んでいない闇の中に人を置き去りにすることがある。

夢の中で、私は迷宮のような所にいた。

細い通路が入り組んだ暗闇の中で、私は這《は》って進んでいた。いくつもの別れ

道があり、私は冷静に判断してとにかく外に出ようと思っていた。時々立ち上がれるほどの空間が出現したが、そこからまた道は枝分かれしていた。

やがて先のほうに明かりが見え、私は急いだ。

明るい所に出ると、そこは小さな洞くつで、色とりどりの布が飾ってあり、ろうそくがともっていた。布の向こうをよく見ると、祠があった。ああ、この祠を知っていると私は思った。なんだか見たことがある、と夢の中で思った。

その時、「今日は…月…日です。」と耳元で誰かが言った。よく聞きとれなかったのに、私は、それを聞いていやな気持ちになった。それは忘れたい日だった。確か、そういう日だった。

そして、ある光景が思い浮かんだ。懐かしいあの部屋だ。窓からは高速道路がとなりに見え、いつもうるさい音がして、排気ガスの匂いがした。床はよごれていて、壁が薄かった。そこで私は誰かと暮らしていたんだっけ…。

と思った時、ろうそくの明かりに照らされて、人影がちらちらと動いた。

「お供えをしないと。」

と千鶴が言った。そうだ、この人だった、と夢の中の私は思った。

彼女はいつの間にか私の後ろから歩いてきていたらしく、その洞くつに入ってきていた。そして、変わらず色が白く、髪の毛が極端に短く、寂しそうだった。

そして、私のほうを一切見ずに、黒い石をその祭壇のような台に並べ始めた。

「河原から取ってきた石なの。」

と千鶴は言った。

私はなにか言わなくては、と思い、口に出した。

「もちろんあの有名な河原だよね…。生きているうちは行けない所だよね。」

こんな時にもこんなことしか言えない自分をすごいなと思った。

「そうだよ。」

千鶴は言った。私を見ずに。

「お供えをしようと思って、命日だし。」

「それは私がすることなんじゃないかな。」

私は言った。

「忘れてたくせに。」

千鶴は笑った。

「すっかり忘れて鼻歌混じりに山道を歩いていたくせに。」

彼女は言った。

私はなにも言い返せなかった。

「あなたはまだわかっていない。いつだって、自分がいちばん大変で、自分さえ助かって、楽で、いちばん楽しければいいと思っているんだもの。」

千鶴は言った。その目は見たことのない暗い怒りに燃えていた。私は無性にくやしくなった。私はいつも自分なりに千鶴を愛してきたのだ。

「より深刻ならばいいって、そりゃそうよ、あんたに比べたら私なんて、大し

た不幸も背負ってないわよ。私の人生なんか、あんたの深刻さに比べたら、すごく楽よね。女ののど自慢でC賞も狙えないね。」

私は自分でも止められない怒りに震える声で言っていた。言いながら自分が、自分で思っているよりもずっと、自分の人生を大変だと思っていることに気づいて愕然《がくぜん》とした。

洞くつは熱く、空気が薄かった。私は窓がほしいと思った。いつまでここにいるのだろう。ろうそくの光が土の壁をほのかに照らしていた。ほこりやかびの匂いがした。

熱さで目が覚めた。部屋の天井がライトで明るかった。私は汗をかいていて、夢の重さで頭がずっしりと痛かった。浴衣は不快によじれ、シーツもしわがよっていた。なんて夢だろう、と私は思った。

時計を見たら、午前二時だった。目が冴えて、眠りに戻れそうになかった。

私は起き上がり、冷蔵庫から水を出して飲んだ。ごくごくと。その瞬間やっと、自分が生きているという感じがした。ああ、そうか、暖房がきき過ぎているんだ、とわかり、古い空調のダイヤルを回して温度調節をした。

深夜の部屋は静まり返り、なにも動くものがなかった。

私は窓の外を見た。真っ暗で、やはりなにひとつ動くものはなかった。私の顔が窓に映っていた。

だめだ、今日の夜はなにかがおかしい、と私は思った。

やっぱり私はあの山道でなにかを拾ってきてしまったんだ。この雰囲気を。

夢の中の千鶴には千鶴の備えていた深みがなかった。薄っぺらかった。あれはただの夢だ、と私は思った。

千鶴はあんなもの言いをする人間ではなかった。もっと強く、もっとせちがらく、もっと辛らつな皮肉を言ったが、もっとずっと賢くて優しかった。私の罪悪感があんな千鶴を創り出したのに違いなかった。

しばらく横になっていたら、また眠けがやってきた。

気づいたら、また洞くつの中にいた。やっぱり…と私は思った。

千鶴は目を閉じて、ひざをついて、一心に祈っていた。その姿は美しかった。洞くつの壁がろうそくの光に照らされて灰色に見えた。彼女の見た目の気品のせいで、そこはまるで祈りのための特別な空間のように見えた。

揺れる光に照らされたまつげがはかなく見えた。閉じたまぶたの下で、あのきれいな冷たい茶色をした目が小刻みに震えていた。なにを祈るのだろう？なにを苦しんでいるのだろう？

そうやってあらためて考えてみると、私は千鶴のことをなにも知らなかった。だいたいあの頃は自分の意識もあやふやだった。私は微妙に疲れていて、傷ついていて、まだ子供だった。窓の外はいつも曇っていたような気がする。いや、曇っていただけではない、あの年は霧がやたらに多い年だった。いつも、夜の窓の外は濁った灰色をしていた。

これはこの土地と私の頭の中のある部分が呼び合って見ている悲しい夢の中なのだ、と私は思った。だから、今は、懐かしい千鶴でも見よう。

そう、しゃべりさえしなければこの夢の千鶴は昔の千鶴に見え、とても懐かしかった。そで口がほつれた白いカーディガンも、いつも取り合いになって結局朝先に起きたほうがはくことにした、半額ずつ出し合って買ったジーンズも、毛先がぱさぱさの薄茶色い髪の毛も、ずっと、見たくても見ることができなかったものだった。私は彼女をじっと見つめた。

そしてきっと本当のところ、千鶴に私の考えが届いたことなど一度もなかったのだ、と思った。彼女は彼女の中に、いつもこうして深く沈みこんでいた。千鶴はそれを人に伝えようとする気持ちも持ってはいなかった。

私はそれを見ているだけだった。だからこそ千鶴を眺めているのが好きだった。千鶴は幾層もの苦悩が創り出した、人生の淡い影でできているような存在だった。

千鶴がこちらを振り向いた時、ろうそくの火が消えて真っ暗になった。

ああ、また眠ってしまった…。

と私は思った。

眠って、夢の中に行ってしまった。

時間は三時だった。口が渇いていて、頭がぼんやりと痛かった。

私は見知らぬ部屋の中を見回した。なにひとつ現実味のあるものはなかった。

シーツに顔を押しつけてみたが実感はなかった。お酒でも飲むか…という結論に達し、私は冷蔵庫からウイスキーを出して、コップに注いだ。もういいや、何回夢を見ようと、千鶴の命日に夢でも彼女に会えるのなら、それがこの土地の持つ邪悪な作用だとしても、いいではないか…あの洞くつはどこなのだろう、と私は思った。そしてはっと気づいた。その邪悪な誰か、もしくはなにかは、生きたまま、あの祠があったあたりの洞くつの中に、埋められてしまったんだ

な、と。なんでわかったのかは知らないが、そう思った。そう思うとますます全てが納得できた。

なんで私にはそのことがわかるのだろう。でも私はそう確信した。私は千鶴が死んでも一滴も涙を流さなかった。どうしてだろう。どうしてさっき夢の中で私は彼女に意地悪をしたりしたんだろう。うそでも優しくすればよかった。

4、　訪問者

その時、ノックの音がした。

私はびっくりして、少しこわかったがのぞき窓をのぞいた。フロントのおばさんかもしれないと思ったからだ。

しかし、妙に明るく照らされている廊下に、見知らぬバスローブ姿の女が棒

立ちで両手をだらりと下にたらして、ぽつんと立っているのが見えた。

私はドアを開けて言った。

「見てのとおり女なので女は買いませんよ。」

すると、その女は低い声で言った。

「いいえ、そういうんではなくって、私は部屋から閉め出されてしまったんです。」

「中の人は開けてくれないの？」

「寝入ってしまったみたいです。」

「では私の部屋から電話をかけてもいいですよ。」

「ありがとうございます。」

女は痩せ形で、髪の毛が長かった。顔の真ん中から下がとても細く、薄い唇が貧相でもあり、品がいいようにも見えた。バスローブの下は全くの裸で、部屋を横切る時に毛が見えてびっくりした。この人はこの格好でいつから廊下に

いたんだろう？　と私は思った。

電話の前に立ったものの、彼女は電話をかけようとしない。

「まさか部屋番号を忘れたんじゃないでしょうね。」

私は言った。

「いいえ、いいえ、決してそんなことはありません。」

彼女は大げさに首を振った。

「実は、けんかしたんです。だから、きっと、電話しても出てくれないんです。」

「でも、その格好で外に出しちゃったんなら、相手も今頃後悔しているんじゃないの？」

私は言った。

「うん、あと十分だけしたら、かけてみます。ほんの少し休ませて下さい…。」

彼女は言った。私はウイスキーをもうひとつのグラスに注いで、差し出した。

裸の細い腕で彼女は受けとって、ひと口飲んだ。

「こういうことって経験したことあります？」

彼女は言った。

「人に、ひどいことをされたことやしたことが？」

私は答えた。

「たくさんありますよ。そういう時は…。」

さっき夢の中でさえ千鶴に親切にできなかったように。

「なにか、自分がひとつの別の世界に行ってしまったように、私はなります。普通の判断ができなくなって、体が自動的に動いてしまいますね。」

「そうですよね。悪い夢の中にいるみたいにね。」

彼女は言った。

「彼には奥さんがいて、別れてくれないんです。」

「それでもめて、その上、あなたを裸で廊下に追い出したの？」

「自分が悪いってわかっているからもっと暴力的になるんだと思います。こんな小さな町では、外で大声を出したら、町中のうわさになるから、私はたまにわざと往来でけんかをしかけます。彼はじっと黙って、決して声を荒らげたりはしません、でも、私はどなり続けます。店の中でも、道でも。それで、だんだん自分が特殊な精神状態になっていくのがわかります。まるでビニール袋の中に入っていて、だんだん酸素がなくなっていくような。誰も自分を顧みることはなく、もうとり返しがつかないような、そういう気持ちです。そうして、彼はホテルに入ったとたんに、私をなぐりつけるのです。それのくり返しで、そうとう疲れてしまって。さっきまで、山道で会っていたんです。そうしてまたどなり合いになって、どんどん歩いているうちに、もうなにもかもどうでもよくなってしまいました。もううわさになり始めているし、母親は病院に行けって言うし、もうこの町にいられそうにありません。どっちにしてもおしまいなんです。」

彼女はぼそぼそと、まるで他人のことを話すように言い続けた。

「悪いけどあなたが部屋にいるだけで私は疲れるわ。」

私は言った。それは本当だった。なんだか彼女を見ていると、その声を聞いていると、頭がしびれて、なにかを吸いとられているような感じがした。

「早く電話してごらん。」

「まだ、いやです。こわいから。」

彼女は言った。

「じゃ、フロントのおばさんを叩き起こして鍵を手に入れてきてあげようか?」

そのくらいはしてあげてもいいと思った。

「ええ、それがいちばんよさそうです。お願いしてもいいですか?」

「いいよ。」

「もう少しだけ、話をさせて下さい。落ち着きたいから。」

「いいよ。」

「どんな気持ちでしたか？　ずたずたに傷つけ合うのって。」

彼女は私の目を見て言ったが、彼女の世界は彼女自身でいっぱいで、なにも映してはいなかった。

「ごめんね、話にならなくて。でも、私はそんな体験はしたことは、ない。」

私は言った。

「いつも、どんな時も、どこかに面白おかしくて、楽しいところやきれいなことや、見どころがあった。」


あの年はすごい年だった。

他に女を作って長い間家を空けていた父親が死に、私にだけひそかに遺産を遺していた。そして母親がそのわずかな遺産をほしがっていろいろと暗躍し、私の印鑑と通帳を盗んで逃げてしまった。

母親と言っても育ての母だったけれど、結構仲良くやっていたので、ショックだった。それまで勤めていたスナックをやめて、男の人と逃げたというわさだった。私は、くやしくてくやしくて、母の住んでいる所を突き止めた。ある日、私は遺産のとり戻しを決行した。そんなに簡単には行かないだろうな、と思っていたが、あっけないほどスムーズだった。

その町に着いたのは夕方近い午後だった。もしも母がこわいタイプの男と住んでいたらいやだったので、住んでいるマンションを見つけても入っていかず、夜を待って見知らぬ町で時間をつぶすことにした。

あの時の気持ち…。

生活のパターンというのは体にしみこんでいるものだ。その時となっては母と私をつなぐ唯一の絆《きずな》はその、体にしみこんだ時間の流れ方だった。

私は事態をそう深刻には受け止めていなかったので、いつかまた会うこともあるだろう、と思ってはいた。母が私の親権を父方の祖母に移していたことも

知ってはいたが、それでもまた会うことはあるだろう、と思っていた。しかし、それからまだ一度も会っていない。もしかしたらもう会うことはないかもしれない。でもその時はそれを認めるのがつらかったので、その考えが出てこないように心を閉ざした。

そして私が子供の頃から体に刻みつけてきた時間の流れは、その町にも等しく訪れた。夕方、TVのニュースが始まる頃、鳥が西の空を渡ってゆく頃、大きな夕日が西に浮かんでゆっくりと地面に落ちてゆく頃、私はいつもひとりで歩いたものだった。学校の帰りだったり、恋人の家からの帰りだったり、学校を休んでうろうろしていた帰りだったり、友達と会っていたりしても、私は母と暮らしている時、いつも、いったん着替えに家に帰った。

それだけが、私と母をつなぐ時間だったからだった。会いたいからではなく、それは血がつながらないもの同士の仁義のようなものだった。母に、世話をする生き物がいることを知らしめるための本能的な幼い行動が、身にしみついて

しまったものだった。

　私が帰ると、いつも母は夕食を食べていた。それから店に出るのだ。父がめったに帰ってこなくなってからずいぶんたっていたので、後半はほとんどふたり暮らしだった。母の夕食にちょっとだけつきあって、私は母を見送った。ばいばい、行ってらっしゃい、と手を振り、洗い物と掃除をして、たいていの場合、友達や恋人の家に私は出かけて行く。そしてたいてい遅くには家に戻った。

　母が帰らない日もあった。でも、家に男を連れこむことは決してなかった。あの場所は義理堅い母にとって、父の場所だったのだろう。そんな義理堅い母が遺産のねこばばをするとは驚いたけれど、私がどうこうと言うよりも、血のつながらない私を必死で育てた母に、なにも遺さなかった父が憎たらしかったのだろう。

　そして、その見知らぬ町で、ゲームをしたり、コーヒーを何杯も飲んだり、土手にすわって夕日を見たり、本屋で立ち読みをしているうちに、私はなにが

なんだかわからなくなってしまった。

まるで、夢の中にある一般的な町にいるような気分だった。西日にさらされて心が腐っていくようだった。私は頭がくらくらして、角を曲がったら家に帰ることができるような気がした。きっとそこには私と母が暮らしていた部屋があり、洗濯物の匂いや、台所の床のきしむ音がよみがえってくる、としか思えなかった。結構いいマンションだったのに、築二十年であちこちガタがきていて、夏は暑く、冬寒かった。あの部屋に、帰って行けるような気がした。なんということなく母が夕食を食べていて、さっと家に入れば、またあの生活が始まるような気がした。今日は月曜日か、だったら洗濯物たたんで、買い出しも行かなくっちゃ、と思ったりもした。

しかし、その町の見知らぬマンションで、母は見知らぬ男と暮らしていた。私はだいたいの感じでちょうどいいと思われる時刻にそのマンションに戻ってみた。

いつもカーテンを開けっ放しだった母はそこでもやっぱりカーテンを開けっ放しで、いそいそと出かける支度をしているのが窓に映る影でよくわかった。明かりがついていて、すりガラスだったが、母の動きはよくわかった。一回戻って上着を替える癖も、窓辺に大きな鏡を置いて全身を点検する癖も。私はますます混乱して、今がいつなのかすらわからなくなってきた。入って行けば、全てがなかったことになり、時が戻る気さえした。母は電気を消して、部屋を出た。ということは、男は今いないということだ、と私は思った。

そして、私が物陰にかくれているとも知らずに、母はいそいそ出かけて行った。母は美人だったうえに接客が生き甲斐なので、趣味のスナック勤めをかかさなかった。この町でも同じことをしている。小さな背中は変わらなかった。母は足早に去って行った。

私は、郵便受けですばやく母の部屋を確認し、ポストの上面をさぐった。やはり、いつものとおり、母はそこにガムテープで鍵をはりつけていた。私はそ

れを抜きとり、母の新しい部屋をめざした。

そこは団地のような造りの大きなマンションで、侵入者の私としては、人とすれ違うといちいち胸がどきどきした。そして、いろいろな窓からいろいろな楽しそうな音がしていた。子供の声、早くから風呂に入るお父さんの声、誰かを呼ぶ声、夕餉《ゆうげ》の支度の物音、いい匂い…私はなんとなく泣きそうになってきて、足早に廊下を通り過ぎた。

母の部屋はいちばん奥にあった。私は鍵を差しこみ、ドアを開けた。知らない男の服が壁にかかっている。スーツだった。私はほっとした、というのも、スーツの質から言っても、普通の勤め人に間違いはなかったからだ。ヤクザに引っかかったわけではなさそうだった。母の人生は新しく始まったのだろう。

台所はきちんと片づいていて、母の匂いがした。全部で四部屋あったが、私は多分ここ、と思い、母の影が映っていた部屋に入り、タンスの、下着が入っているはずの引き出しを開けた。そうしたら案の定、下着の下に私の通帳と印鑑

が入っていた。見てみると、父が私に遺したのは二千万だった。まだ手をつけていない様子だった。二千万円はともかく、印鑑はないととても困るのだ、と私は思った。私はそれらを持って、部屋を出た。鍵をかけ、鍵をかける泥棒も珍しいな、と思いながら。引き出しの奥に「ルパン三世参上！」と一応小さく書いた紙を置いておいた。笑ってはくれないだろうな、とは思いつつ。そして、きちんと鍵をはりつけ直して、電車に乗って、家に帰った。

翌日私は電話を解約し、携帯電話に変えた。そして、引っ越しの手続きをした。気づいた母がお金をとり戻しに戻ってくると困るからだった。その時の行動力は私の一生分くらいの行動力だったと思う。これまでのもの全てを徹夜で処分した。父の服が段ボールにひと箱。そして父の本や、手紙や、遺した物品、それらはトランクルームにあずけた。母が置いていったものは、置いていっただけあってどうでもいいものばっかりだったので、みんな捨てた。そして私も極限まで荷物を整理し、し切れなかったものはやはりトランクルームにあずけ

て、スーツケース二個にまでしぼりこんだ。そして、翌々日、私は銀行に行って新しく一千万の口座を開き、一千万の小切手を作ってもらって、母に送った。書留の手続きで紙切れをもらった時、あのマンションの郵便受けが心に浮かんだ。そして、これがあのポストに入った時から、もう私は本当にひとりなんだと心から思った。

しばらくはビジネスホテルに泊まっていたが、千鶴が家においで、と言った。彼女はもともと友達の友達だった。彼女が私を好きなのは知っていたし、私も彼女が好きだったから、そしてその時私をとりまいていた心もとなさが消えるまで時間をかせぎたかったから、彼女に甘えることにした。

千鶴との暮らしは、はじめから面白かった。

千鶴は幽霊を見たり、その存在を感じたりした。友達の誰かになにか悲しいことが起こると、泣きたくもないのに、涙が出てきたりする子だった。それか

ら、私の肩こりとか、胃炎を、手をあてて治してくれた。千鶴の言うには、子供の頃、すごい事故にあって、長い階段を転げ落ちてから、そうなってしまったのだそうだった。透明な目をしていて、いつも人と少し違う所を明るいまなざしで見つめていた。彼女は強い人だった。こわいものがない人だった。

住んでいる所が、また、その時の私の荒れた心にあまりにもぴったりくる部屋だった。その部屋は高速道路のすぐ脇のぼろぼろの建物の七階にあり、窓の下にはぐしゃぐしゃに入り組んだ路地と、スラムみたいな街並が見えた。いつも物音がうるさく、家賃を滞納している人もたくさん住んでいたし、同じふた部屋の間取りで八人家族が住んでいる部屋というのがすぐ真上にあり、ものすごくうるさかった。いつかTVで観た九龍城のような建物だった。

なんでこんな住環境を選んだの？　と聞いたら、なぜかとても落ち着くから、と笑顔で彼女は答えた。普通の人たちを見ていると、自分がおかしいのかと思えてきて、不安になるから、と。

彼女は病的なきれい好きで、いつも床や台所をぴかぴかに磨いていた。夜中に彼女が床を磨いている音で目覚めることも度々あったし、よく磨かれた床ですべって転ぶことも、よくあった。

彼女はほとんど眠ることがなかった。睡眠は数時間で足りるのだと言っていた。そして、床磨きは時間つぶしだと言った。私と暮らす前は、誰も気づいていなくても、そうして床を磨いて夜明けを待っていたのだと言った。

そして彼女は幽霊が見えると言い張った。あっ、おばあさんが柿を持ってきた、とか、あの子車にひかれちゃったのかなあ、とかこわいことをしょっちゅうつぶやいていた。彼女といると、世界は幽霊だらけだった。

私は、自分に見えないものはないことにすることにしていたので、気にしなかった。それでも時折、なにかを感じることがあった。道で、部屋の中で。そういう時、必ず彼女はそこに誰かいる、と言うのだった。そして幽霊を見ないで平和に眠るために、彼女はいつもたくさんの光り物を身につけたまま眠った。

指輪や、ピアスや、ブレスレットを。そうすると幽霊は近づいてこないのだと言っていた。おかげでセックスではなぜかいつも男役だった彼女の装身具があちこちに当たっていつも痛かった。

その年は本当に霧が多かった。

よく、夜明けに目を覚ますと、千鶴は床磨きの途中でぞうきんを片手に持ったまま、すわって窓の外を見ていた。

車のライトが霧に映って、不思議な光が空を満たしていた。この世の風景とは思えなかった。それを見ている千鶴も含めて、この世の果ての風景のように思えた。私は薄目を開けて、起きていることを告げずに彼女を見ていた。彼女は風に揺れるさびたサッシにひじをついて、子供のように外を眺めていた。外はミルクのような濃い、触れそうな霧だった。永遠に朝は来ないのではないか、と私は思った。千鶴のその細い体も、細い腕も、この世に拒まれているように見えた。このような妙な風景の中にだけ、いることを許された存在のように見

えた。

人は、自分が相手に飽きたから、もしくは自分の意志で、あるいは相手の意志で別れたのだと思いこむものだ。でも、それは違う。季節が変わるように、時期が終わるのだ。ただそれだけだ。それは人間の意志ではどうすることもできない。だから逆に言うと、それが来るその日まで、楽しく過ごすことも可能だ。

私たちは最後の最後までおだやかで、楽しかった。

そう思っていたのは私だけだろうか？　いや、違うと思う。

私はその古いマンションと、コンビニ弁当の暮らしの中で、じょじょに大人になるための心の筋肉をつけていった。そろそろひとり暮らしを始めようか、と思った。そこからそんなに遠くない所にちょうどいい安い物件があったのですぐ決め、千鶴に告げた。その時は、千鶴は別に動揺しなかった。これからも行き来しようね、と笑った。だからそんなにもショックを受けていることに気

づかなかった。

最後の日曜日、私たちは少し寂しくなった。それで千鶴が車に乗りたい、と言った。私は千鶴の車を運転して、近くの山へ行った。山の上の茶屋できのこごはんを食べ、展望台に行って、色とりどりの山を眺め、温泉に入った。

そう、やはり秋だった。

気が狂うほどの紅葉が、赤や黄の目まぐるしい色彩が、温泉からよく見えた。風が吹く度に嵐のようにそれらが舞い踊った。ふたりはいつまでも露天風呂に入っていたが、寂しさは消えなかった。

時間が、たっていく寂しさ。道が別れてゆく寂しさ。

「どうしてこんなに寂しいんだろう、異常なほどだね。」

人ごとのように、私たちは口々にそう言い合った。

「引っ越すだけなのに。どうしてだろうね？」

まわり中の人たちがみんな楽しそうに見えてうらやましいほどだった。風呂

につかりに来る、おばあさんや小さい子供や、お母さんたち。普通の生活の営みを体の線にしみこませた人たち。みんなが出てしまって、次々人が入ってきても、私たちはいつまでも露天風呂に入っていた。空がとても高かった。

「部屋にばっかりいたし、霧が多かったし、天気もあまりよくなかったから、こんなきれいな所にいるなんて夢みたい。」

と千鶴は言った。

「頭がはっきりするね、空が晴れていると。」

そして帰りの車の中で、千鶴は言った。

「ここで降りる。」

どんなに言い聞かせても、そう言い張った。だんだん車の中の空気が濃密になってきて、たまらなくなって、魔法にかかったように私は彼女を降ろしてしまった。

ひとり千鶴の部屋に帰り着いた時、なんてことをしてしまったんだろう、と

思った。しかし、どう考えても彼女は本気だった。今私にできることは、この部屋で彼女を待つことではなく、彼女にこの部屋を出る場面を見せないことだ、と思った。それで、自分の痕跡が徹底的に消えるまで荷造りと掃除をした。共有のものは全て残した。私はこんなに短期間に二回もスピード引っ越しをしている自分の人生について考えた。そして、千鶴のことも考えた。いくら千鶴のことを好きでも、千鶴の中の寂しい、暗い空間に身を置き続けるほど、愛せる自信はなかった。いつか男の人を好きになり、もっとひどいことをしてしまうのはわかっていた。だから、電話をかけなかった。

そして、一ヶ月後、新しい部屋ですっかり生活が軌道に乗った頃、やはり友達として彼女を必要に思い、いよいよ会いに行ってみようと心を決め、電話をかけた。

「ああ、元気？」

千鶴は普通に電話に出た。

あの部屋で。

「この間は車を借りたままにしてごめんね。無事に帰った？」

「大丈夫よ、そんなに遠くないもの。あれから二泊して、しかもヒッチハイクですぐに戻ってきたわ。」

「よかった…。」

私は涙ぐんでしまった。

「だいたい、降ろしてって言ったのは私だもの。私は、本気であの、秋の自然の中にもう少しいたかったんだから。それで気持ちを整理したかったの。そうさせたのは私なんだから、恨んでなんかいないよ。」

千鶴は優しい声の響きでそう言った。

「どうしても、出て行くところを見たくなかったから。」

「わかってはいたけど、せめて駅まで送ればよかった。」

私は言った。

「いいのよ。かっこ悪いじゃない、駅で別れるなんて。」

「そうね。」

「私ね、本当に楽しかった。一緒に暮らして。自分が人と暮らせるなんて知らなかった。」

「こちらこそ。」

「あなたは、とても運が強いと思う。だから、変わった人生になると思う。いろいろなことがあると思う。でも、自分を責めちゃだめだよ。ハードボイルドに生きてね。どんなことがあろうと、いばっていて。」

「なんで？　私、いばってる？」

「ううん。」

くすくすと千鶴は笑った。鈴みたいに、その声が小さく耳に響いた。

「じゃあ。」

「じゃあ、また。」

私はほっとして電話を切った。私たちに明日はないかもしれないが、別の形でつなげることができるかもしれない、という希望が湧いてきた。私はぐっすりと、本当にあの山道で彼女と別れてから初めて、ぐっすりと眠ることができた。

その時もおかしな夢を見た。

私はあの山道を、もう怒っていない状態で、優しい気持ちになって引き返していく。暗い闇の中で木の葉の色がにじんで見える。千鶴と別れたあたりにさしかかる。すると、千鶴が子猫のようにかがんでいる。私が近づいていくと、千鶴は嬉しそうに笑う。ドアを開けて、いつになく活気に溢れた表情で乗りこんでくる。私たちは手をつなぐ。片手で山道を運転するのは大変だったが、手を離したくなかった。千鶴の冷たい手。いつも冷たい指。いつもよりも千鶴が小さく見えた。どんな汚いマンションでも、雨漏りがしても、壁が薄くて音がうるさくても、窓の外に救われる景色がなにもなくても、あの部屋にふたりで

帰ろう、もう一生離れないでいよう…。

そこで目が覚めた。

なんとも言えない気分だった。

その日は一日その夢のことを考えた。そして、夕方、私は引っ越し先を千鶴以外の人に告げていないことに気づいて、友達に電話をした。千鶴と私の共通の知人だった。

「生きてたんだね！」

彼は叫んだ。

「全くあんた悪運が強いよ。」

「なんのこと？」

私は言った。夢の中で千鶴の言ったことと、不思議とだぶる言葉だった。

「知らないのか。…ごめん。おととい、あのマンション、火事になって、千鶴が死んだんだよ。」

「ええ？　だって、昨日電話で話したよ。」

私は驚いて答えた。

「それは…あれだよ、あれ。千鶴のことだから、ありうるよ。」

「そ、そんな…。」

「みんな、あんたもまだいるかと思って、心配して死体を捜したり、行方を捜したりしてたんだ。連絡のしようもなかったし、どうしようもなかったんだよ。でも、生きていてよかった。不幸中の幸いだね。みんなには俺から伝えておくよ。」

友人は言った。口ではめちゃくちゃ言っているが、悲しみは伝わってきた。

私は愕然として、受話器をきつく握った。

「知らせてくれてありがとう。お葬式とか、ないのかな。」

「親戚とかいう千鶴からかなり遠そうな人が病院に来て、さっさと遺体を持っていってしまった。千鶴にも十年くらい会ってないって言っていた。千鶴は、

昔、いろいろやっていたらしいから、親族に縁を切られていたらしいよ。お葬式のこととか、知らせて下さいって言ったんだけど、連絡はなかった。」

「そう。連絡先は聞いた？」

「うん、聞いた。今度教える。墓参りくらい行きたいからね。本当に千鶴はあっという間に、あとかたもなくいなくなってしまったよ。」

「そう。」

私はもうひとつだけ聞きたかったことを聞いた。

「千鶴の部屋から出火したの？」

友人はきっぱりと言った。

「いや、違う。となりのアル中の部屋。やかんをかけたまま泥酔していたそうだ。本人はちゃっかり助かっていたよ。」

「わかった…。」

私は泣けなかった。今も、ちゃんと泣けていない。

後悔を、何度もした。今もする。でも、何回も思い直す。きっと私たちには、あれ以上なにもできなかった。最後まで、楽しかった。呪文のように、そうくり返す。

「いいなあ、私もそんなふうになりたいなあ。どこでなにを間違えたんだろう。」

私は思い出を語ったわけではなかったのに、私の心を読んだかのように、その女性はつまらなそうに言った。心底、つまらないという様子だった。

「今からでも、遅くないいんじゃない?」

私は言った。

「部屋に帰って、もう少しまともに別れ話でも続けるでも、したら? 服を着て。だって、寒いでしょう?」

「もう、遅いかも。」

彼女は言った。髪の毛で顔は見えなかった。

「私たち、心中しようと思ってて…。」

それ以上彼女はなにも言わなかった。そして妙にぐずぐずしていた。

「あなたまさか…。」

私は言った。

「そうだったらどうします？　私が彼を殺して、部屋を出てきていたら…。私もそうは思いたくないんですけど。あるいは、心中に失敗して、自分だけ、目が覚めてしまって、彼は死んでいたとか…。どっちだろう？」

彼女は言った。

「どっちだろう、じゃない！」

私はどなった。どならないとめちゃくちゃにこわくなりそうだったからだった。

「いいもう！　行動あるのみ。おばさんに鍵もらってくる！」

私は自分の部屋の鍵を引っつかんで立ち上がった。鍵を持っていないと、部屋に入れなくなって彼女の二の舞いになってしまう…とどうして思ったのだろう。彼女は部屋の中にいるというのに。

振り向くと、彼女は足をぶらぶらさせて、寂しそうにベッドに腰掛けていた。顔を上げず、下をじっと見ていた。太ももと、鎖骨のVの字がきれいだった。私はエレベーターに乗り、フロントへ行って、しつこくベルを鳴らした。誰も出てこなかったので、さらに鳴らした。真っ暗なロビーは、空調の音だけが響き渡り、ソファの古びた色が浮かび上がって見えた。

すごく長い時間がたってから、奥からおばさんが寝起きの、恐ろしく不機嫌な様子で出てきた。

「近くの部屋の女の人が裸で部屋を閉め出されたって言って、困っているんですが、その人の部屋の鍵を貸してもらえますか？」

「え？」

それ以上不機嫌な声を人類は出せないというくらいの声だった。

「疑うなら、同行して下さい。」

私は言った。

万が一、相手の男が死んでいたりしたら、おばさんがいたほうがいいと思った。

「恥ずかしながら、今日の客はあんただけ！」

おばさんは言った。

「ええ？　でも、今、確かに。」

「うーん、どっちの立場を取るべきか。」

おばさんは言った。

「なんです？」

「ホテルの利益か、客を安心させるか。」

おばさんは真剣な顔でそう言った。

「それを口に出している時点で、もう同じですよ。なんです？」

私は言った。

「うん、あんたの言うことわかるわ。今日は変な日よ。昔だったら、むじながが出るような日っていう感じね。なにか、空気が重くて、夜が暗いよね。でもさ、過ぎていくのよ。こんな夜もまた。それでさ、あんたの言ってるの、バスローブの人でしょ？」

「そうです。」

「出るのよ。ここ。その人、前にこのホテルで心中をはかって、自分だけ死んじゃった人。相手の人は学校の先生でさ、生き残ったの。睡眠薬が足りなくて。でね、奥さんと子供連れて、町を出てった。」

「そんなあ。」

私はいやになってしまったが、

「まあ、古いホテルだからいろんなことがあるよね。」

とおばさんが言ったので、

「少なくとも、今、誰かが閉め出されたり、誰かが部屋で死にかけていたりするわけではないんですね。」

と言うしかなかった。

「そういうこと。もう何時間かで朝だから。またなにかあったら起こして。」

と言って、おばさんは奥へ戻って行ってしまった。

私はロビーに残され、ひとりであの部屋に戻るはめになった。幽霊のぐちを聞くか、いやな夢を見るか。私の選択肢はとても貧弱なものだった。

そこで頭を冷やすために外へ出ることにした。

外は、ものすごい風が吹いていた。

きっと、あの美しかった紅葉も、どんどん散っているのだろう。

ここでも、あの、千鶴を最後に見た場所でも。

私はそう思って、空を見上げた。

星がきれいだった。

振り向くと、確かに私の部屋の窓と廊下以外は真っ暗だった。

あの女の寂しそうな姿を思い出した。

そうか、わざと自分のほうが多く薬を飲んだんだ、と私はひらめいた。

彼には少なく飲ませたんだ。

だからあの女の印象ははかないんだ。

どうしてそんなことがわかったのだろう、でも、そう思った。なんで今夜はいろいろなことがわかってしまうのだろう。

すっかり冷えてロビーに戻ると、おばさんが起きて立っていた。

「おばさんは幽霊じゃないでしょうね。」

私は言った。

「おばちゃんは長年ここで働いてるただのおばちゃんだよ。」

おばさんは言った。

「あんたのおかげで眠れなくなっちゃったよ。」

「ごめんなさい。もう一度お風呂に入ってきます。」

私は言った。

「気をつけて。起きてててやるから、ここを通りな。」

おばさんの優しさがしみて、私はさっさと風呂へ向かった。

5、　畳部屋

風呂は相変わらず熱い湯に満たされていて、私は冷えた体をじっくりと温めることができた。

そして、ガラス越しに脱衣場の時計を見ると、もうすぐ四時だった。

なんという夜だろう、山道で出会った変なものをホテルまで連れてきてしまうなんて、全く…。と思いつつ、疲れも頂点に達して眠けがこみ上げてきて、

目が自然に閉じてしまいそうだった。

今度こそなにが起ころうと寝てやる…と私は思い、風呂のタイルを見ていた。

そのタイルは古いがきれいな色で、懐かしい感じがした。昔幼い頃、父と私の実の母が住んでいた家の風呂のタイルに似ていた。その頃はこんな人生になるなんて知らなかった。親と共にひとりっ子らしく平凡に育っていって、嫁にでもいくのだろう、と思っていた。こんな遠くまで来てしまうとは…。

私は少し感傷的になり、タイルをじっと見つめた。そして目を移すと、浴槽は普通の石でできた素朴なモザイクに縁どられていた。

ろくでもないホテルだけど、この風呂はいい…と思った時、なぜかひやりとした。私の中のなにかが猛烈に首を振ったのだ。

なんだろう、こんなに気持ちがよくて、こぢんまりとしていて、ちょうどよく古くて、泉質もいいし…とぼんやりと、また眠けに襲われながら考えていたら、ふと、目についたもの…それは、その、縁どりのモザイクの灰色がかった

石の中にひとつだけ、色の違う、真っ黒な石が埋めこまれていたことだった。

そうか！

私は妙に納得した。

このホテルはつながっているんだ。

なにかのきっかけで、あの石がひとつだけ、ここに使われているから、こんなに変なことが重なるんだ。

うどん屋のことを思うと胸が痛んだが、このホテルが古くからあって無事だということは、多分、このままにしておいたほうがいいのだろう、と判断した。

心中したり、幽霊が出たりするのを無事と呼んでいいのかはよくわからないが、うどん屋で人死にが出なかったということは、多分、あの祠にはこのくらいの作用しかないのだろう、と思った。

その石を踏まないようにそっと風呂を出て、私は一応フロントに寄った。

「おばさん、おやすみなさい。」

私は声をかけた。

「お茶でも飲んでいったら。いやでしょう、部屋に戻るのが。」

おばさんは奥から出てきてそう言った。

早く寝たいという気持ちもあったが、のどが渇いていたので、寄って行くことにした。

フロントの脇のドアを通って、フロントの裏にある部屋に入れてもらった。

そこは六畳ほどの畳部屋で、きちんと片づいていた。そして、カーテンがきっちりと閉まっていた。花柄のカーテンだった。

おばさんは小さな流し台の前に立ち、お湯をわかしていた。

テーブルの上にとても不自然なほど立派な、真っ白い菊が飾ってあった。いやだなあ、でも、触れてはいけないことだろうか、と思い黙っていた。

私の視線に気づいてか、お茶を持ってきながらおばさんは言った。

「ああ、それね、それはね。」

お茶はとても熱く、おいしかった。

「おいしいです。お茶。」

「ああ、静岡に親戚がいるもので。」

おばさんは言った。

「その花ね、さっきの心中の、男の人のほうが送ってくるの、毎年ね。」

「さっきの、幽霊の人の彼だった人ですね。」

私は言った。

「そう。お供えして下さいって、毎年。でもさ、フロントに出しとくわけにもいかないじゃない？　縁起悪くて。ただでさえ縁起悪いのに。だからって、部屋にお供えしてもね。だから、ここに飾ってるの。おばちゃんは毎日お線香もあげてるのよ。」

「そうですか。」

さっきの彼女の寂しい雰囲気を思い出した。

「幽霊がこわいこわいってみんな言うけど、生きた人間のほうがよっぽどこわいわよ。」

おばさんは言った。

「そのね、心中の人たちがここに来た時も、私がフロントにいたんだけどね。それはそれはこわかったよ。ちょうど今日のような変な雰囲気の夜だった。だって、男は土気色の顔で、泥だらけ。女は、はだしで、髪の毛を振り乱していて、泥だらけ。山道を越えてきたとかって言って、ぼろぼろで、殺気というか、すごい雰囲気を漂わせていて、普通だったら断るんだけれど、女のほうが真っ赤に泣き腫《は》らした目で、休みたいんです…ってくり返すんだよね。こわかった…。つい泊めてしまって、後は大騒ぎ。私もよくクビにならなかったなって思うよ。でもね、彼女は自分だけ死ぬつもりだったのね。自分だけ強い薬を飲んで、相手には弱いのを飲ませたのよ。男は半狂乱だったよ。それを知って。本

当に愛し合ってたんだ、遊びじゃなかったんだ、と思ったね。」

「やっぱり…。」

「でも幽霊になられちゃね。恩をあだで返すとはこのことね。」

おばさんは言った。

「どうせ来年ここはたたむから、いいんだけど。」

「このホテル、なくなってしまうんですか？」

なくなったほうがいいと思うよ、と思いながら私は言った。

「そう。オーナーが亡くなったから。息子さんが来年は建て替えてレストランにするとかって。あのお風呂、オーナーが自分で作ったのよ。」

「はあ。」

「かわいいお風呂でしょう？」

「山から石を集めてきたんでしょうか？」

私はたずねた。

「なんで？」

「変わったモザイクだなあと思って。」

「そうよ、オーナーは変人で、石ころを集めていたの。ダイヤとかそういうんじゃないのよ。正真正銘の石。くず石。」

「なるほど。でも、すてきですよ、あのお風呂。」

私は言っておいた。

「でも、おばさん、気をつけて下さいよ。幽霊もいるし、ここって変ですよ。なにか。」

「大丈夫よ、さっきも言ったけど、変な夜っていうのは、どこにいてもあるのよ。それに、必ず過ぎていくの。つとめていつもどおりにして、朝が来れば、なんていうことなくなっているものよ。それよりも、私は人間がこわいね。オーナーが死んだ時の息子の嬉しそうな顔とかに比べたら、大したことないね。世にも上品な夫婦が泊まった後、掃除のおじさんが吐いたこともあるよ。部屋

でどんなおぞましいことをしていたんだろうって。そういうほうがずっとこわいね。」

頼もしくおばさんは言った。大丈夫だ、こういう人がいれば…と私は思い、このホテルの心配をするのをやめた。

「じゃ、戻ります。おやすみなさい。」

私は言った。外でかすかに鳥の声がした。

もうすぐ夜明けだ。

「あんた、いやじゃない？　戻るの。泊まってきなさい、ここに。」

おばさんは言った。

「え？」

「いいからいいから、せまいけど、ふとんもあるし。そのほうがいいって。また出るよ。」

おばさんは明るく言った。

「朝になったらもう大丈夫だから、荷物持って出ればいいじゃない。」

私は、どうして、お金を払ってこの渋すぎる和室にこのおばさんと寝なくちゃいけないんだろう、と思ったが、珍しい体験なので、そうすることにした。

「では、お言葉に甘えて。」

もう眠くてどうでもよかったというのもある。

おばさんは、さっきから敷きっ放しのおばさんのふとんから少し離れたところに、私のためにふとんを敷いてくれた。

せまい部屋、低い天井、菊の匂い。

私はふとんに入って、おやすみなさい、と言った。

おばさんはおやすみ、と電気を消してくれた。

台所の電気だけつけて、おばさんが洗い物をしている間に、私はあっという間に眠りに落ちた。

6、　再び夢

それはとてもリアルな夢だった。

夢なのか、思い出なのかすらわからなかった。でも、実際にいつかあったことだったような気がする。本当に短い夢だった。

私はあの、今はもうない千鶴の部屋にいた。

高い天井のしみまではっきりと目に入った。

それから、ぴかぴかに磨かれた台所のステンレスが光っているのも見えた。

外は霧で、部屋の中にまで入ってきそうだった。

ぼんやりと空は光り、車の音もくぐもって聞こえた。

さらに、上の階では、あれだけ子供がいてもまだ足りないのか、夫婦が風呂場で子作りに熱中している音が聞こえてきた。

「うるさいなあ！　夜中だっていうのにさ。」

と私は言った。

私はぼんやりと雑誌を読んでいた。

その頃アル中気味だった私は、一升瓶の日本酒を少しずつ飲んで一本空けつつあって、かなり酔っていた。

「じゃあ、音楽でもかけましょう。」

夜寝ない千鶴は、私が夜中に本腰を入れて起きているととても喜んだ。

幸福そうだった。子供のように。

千鶴は適当にＣＤをかけた。かなり大きな音だったが、まるで霧に吸いこまれるように、やはりこもって聞こえた。

それにも負けず、カコーン！　と洗面器をひっくり返したりしながら、水音をはでに立てながら、時には子供の教育問題を話し合ったりしながら、上の夫婦は盛り上がっていた。どうも風呂の窓を開けてやっているようで、なにもか

もが筒抜けだった。

「すごいなあ、すごいスタミナだ…。」

私は言った。

酔った目に千鶴は透けて見えた。色素が薄いせいか、霧のせいか、その性質のせいなのか。そして私は、この人とそう長くは共に過ごせないのかもしれない、と思った。

どうしてだか、その、夜寝ない、食べ物もあまり食べない生き物が長く生きられるわけがない、と思ったのだ。

「でも、私、こういうの嫌いじゃない。」

千鶴が言った。

音楽と、上の音と両方にうっとりと耳を傾け、千鶴は笑った。

「人の立てる音って、安心する。なんだか、パパとママの音って感じ。」

「パパとママらし過ぎない？　もう少しソフトな表現だったら、いいんだけ

ど。」

私は言った。

「そんなことないよ。夜、一緒にお風呂に入って、あれこれ話し合ったり、体を洗い合ったり、それでその気になったり、みんなパパとママの立てる暖かい音だよ。」

千鶴は笑った。

それよりも私は窓辺の千鶴の、霧とヘッドライトを背景にした姿のほうが、興味深かった。そのまま消えていきそうだった。見ていると不安になり、こわかった。これはこの世なのか、それともあの世なのか、わからなかった。だからきっと、パパとママの音を聞くと、こちら側につなぎ止められているような気がして安心するのだろう、と思った。

そこまでは、思い出と夢が混じったものだった。確かに。

しかし窓の外からこちらへと顔を向けて、千鶴は言った。

「あのね、さっきから見ていた夢の中の私は、私じゃないよ。今、そのおばさんの部屋で寝ているあなたの夢に出ているこの私は、本物の私。今日、変な祠見たでしょう？　でも、大したことないよ。そんなの。今日だけのことよ。でも、困っているみたいだったから、ずっと見ていたの。」

千鶴は言った。この目、透き通る目、千鶴の目だ。

私は涙ぐんで、

「ありがとう。」

とその冷たい手を握った。


はっと目を覚ますと、見知らぬ、真っ暗な、みすぼらしい部屋だった。

カーテンの向こうがかすかに明るかった。

ここはどこだっけ？　と飛び起きると、少し離れた所におばさんがいびきをかいてぐうぐう眠っていた。

その白髪混じりの髪の毛、鼻の穴、パジャマのえげつない縞模様…みんな愛しく思えた。壁にはフロントの制服がきっちりとかかっていた。

こういう人が、この世を支えているのだとすら思った。

私は安心し、また、眠りについた。

やっと、この夜が終わる。

7、　朝の光

そして朝が来た。私は部屋に戻ってみた。

昨日、いったいなにがあんなにこわかったのだろう、というくらい、晴れた朝の光にさらされて、まぬけなくらいに部屋は平和だった。

私は着替え、シャワーを浴びた。

唯一、グラスがふたつあるところだけが、昨日の出来事を思い出させたが、

それもさんさんと部屋をつらぬくまぶしい光の中では、どうでもいいことに思えた。

荷物をさっとまとめてフロントへ行き、

「お世話になりました。」

と私は言った。

「はいはい、元気でね。」

おばさんは、きっちりと宿代を取り、笑顔で答えた。

なにもなかったかのようだった。私は心の中で「これこそがワンナイトスタンド…」とつぶやいてひとり笑った。

外に出ると、田舎町の朝が始まっていた。

店は次々と開店し、ガソリンスタンドでは店員がきびきびと働き、掃除をするおばあさんがほうきを動かしている。

遠くでは山々が紅葉に彩られて青空を背景に連なっていた。

なんだったんだろう、と私は思った。

そして最後に見たあの夢がまだ私の心の中に美しい余韻として残っていた。私は夢の中で本物の千鶴に会えてよかったと思った。きっと、あの歪んだ時間の中でしか、ありえないことだったのだろう。やはりどんな夜にもいくつかの面白いことがある、私は転んでもただでは起きない、と思いながら、地図をとり出した。そして、駅に向かって歩き出した。

ハードラック

1、　十一月について

病室に入ると、珍しく母はいなかった。

境くんがひとりで、本を読みながら姉の横にすわっていた。

姉は今日も、体中をいろいろな管につながれていた。人工呼吸器のすごい音が、静かな空間に響いていた。

もはや見なれた光景だったが、時々夢の中でこれを見ると、なぜか現実にこうして姉を見ているよりもずっと、目覚めた時のがっくりした気持ちが増した。

夢の中で姉のお見舞いに来ると、私はずっと極端な感情を抱く。でも現実には、行きの電車の中でじょじょに準備が始まるのがわかる。その姿を見て、そ

の体に触れる時の気持ちが、だんだんと用意されてくる。でも、夢は別だ。夢の中では姉は普通にしゃべったり、歩いたりしている。でも、夢の中で自分は知っている。どこかにいつも、この病室の光景がひかえている。いつもいつもこの画面を意識しているから、だんだん自分が起きているのも寝ているのも変わらなくなってきた。どこにいてもなにかが切羽詰まっていて、休めないという感覚だった。外から見たら、たいそう落ち着いて見えただろう。この、秋が深まってゆく間に私はどんどん無表情になり、泣く時はいつも自動的に涙がこぼれた。

姉が、勤めていた会社を結婚退職するために、徹夜の連続で引き継ぎマニュアルを作っている時に脳出血で倒れてからもう一ヶ月になる。大脳はかなり損傷を受け、浮腫に圧迫された脳幹はだんだん機能を失っていた。はじめはわずかにあった自発呼吸も全くなくなってしまった。昏睡におちいってからの人間が、植物状態になるよりも悪い事態があることを、初めて知った。姉の脳は、

時間をかけて着実に死んでいった。

　最近は、家族全員が一挙に学習し、この状態は植物状態というのですらなく、その希望すら今は失われ、脳幹が死んだ後の姉の体は呼吸器に生かされているだけだ、ということもつい先週に教えてもらった。植物状態になったならそのままで何年でも生かしておく、という母の願いもすでに断たれた。あとは、脳死が判定され、呼吸器をはずす時を待つしかなかった。

　そして家族全員が奇跡は起こらないという統一見解にまとまって、少し楽になってきた。はじめは知識がなかったから、あらゆる考えがくり返し全員を襲った。迷信から科学知識から、神に祈る心や、夢に出てくる姉の言葉を聞きとろうとするまでの、ほとんど休む暇のない、集中した地獄の時間があった。そして、そういう葛藤の数々にいっときも休めずに悩まされる苦しい時期をひとおり過ぎてからは、姉の体が楽なように、姉がいやがることだけはしないし思わないようにだけ、心を砕こうと皆が落ち着いてきた。もうあの姉は戻って

こないというのは理屈だけではなく、この目でわかってきていた。でも、手があたたかかったり、爪が伸びたり、呼吸の音がして心臓が鳴っていると、どうしてもいろいろな、いいほうの想像をしてしまう。

姉が完全にこの世を去るまでのこの奇妙な間は、皆にいろいろと考えさせる時間だった。

私はやむなく中断し、姉の容態によっては中止しようとしていたイタリア留学の手続きを、今朝からまた始めたところだった。姉を抜きにして生活は回り始めていた。しかし、もはや私たちの目に映る全てのことに、姉の影がひそかに息づいていた。

気にしていないように見えるのは姉の婚約者のお兄さんである、境くんだけだった。姉の婚約者は姉の大事故にショックを受けて、実家に帰ってしまった。彼は歯科医大に通う学生だったので、大脳がもう機能していないことの意味をよく知っていた。そして、うちの両親が申し入れた婚約解消を昨日承諾した。

境くんは東京に住んでいるというだけで、「僕でよければお見舞いに来ます。」と言って、ほぼなんの関係もない人なのに、わりとしょっちゅう病院に来た。はじめは弟のふがいなさを申しわけないと思っているのだろう、と家族は陰口をたたいていたが、そうでもないらしく、まめに来ては看護婦さんをナンパしたりしていた。わりとすぐにこの衝撃的な状態に慣れたように私には見えた。得体の知れない人だった。

彼のこれまでの人生は謎に包まれていたが、姉が前に言っていたことには、彼ら兄弟は結構苦労人らしい。お父さんは難病で死に、お母さんは長く婦長さんをしながら、女手ひとつで兄弟を育てた、とかそういうような話だったと思う。

そうして姉がしゃべっていた頃のことを思い出すと、いつも膜に包まれたような感じがした。姉は高くて細い声で、よくしゃべった。よく、子供の頃、布団をお互いの部屋に引きずっていっては、夜明けまでしゃべった。大きくなっ

たらどっちかが、絶対に天窓のある部屋に住んで、しゃべりながら星を見よう、なんてかわいい約束をしたものだ。想像の中で窓ガラスは黒くつやつやと光り、星はダイヤモンドのように輝き、空気は澄んでいた。そこでは姉妹はいつまでもしゃべることがつきず、朝が来ることもないはずだった。

姉はいつもかわいい感じでどことなくメルヘン調だったが、恋愛に関しては凄《すご》みのある女で、私と正反対だった。思春期にはよく「彼のイニシャルを入れ墨《ずみ》する。」とか思い詰めていた。

「やめなよ、別のイニシャルの男とのちにつきあえなくなって、選択の幅がせばまるじゃない。」

「なにそれ。」

「だから、お姉ちゃんが、今、中沢くんのNって入れちゃうと、Nがつく人とつきあわなくてはつじつまが合わなくなるってこと。どうする？　たまたまNのつく人だったらいいけどさ、関係ない人を好きになったら。いいわけきかな

いよ。」

「なんであんたそんなこと思いつくの？　いいの！　もう他の人とはつきあわないから。初めてつきあった人と、結婚するのなんてすてきじゃない？　私自信あるもん。」

「絶対そんなことありえないって、やめときな。」

などというくだらないやりとりを、私たちは夜中によく楽しんだ。たとえ天窓はなくても、想像力の勢いで、空に星がたくさんあるのを感じることができた時代だった。

姉のことを思い出すと感じるその膜は、はじめは涙になる度に熱く流れて消えた。今はもう涙は出なかった。そのくらい、私の全身全霊が、この状況を受け入れるのに必死だった。しかしその膜はずっと、姉の面影として私を取りまいている。

「お母さんは？」

私はたずねた。

私は家を出て、ひとり暮らしをしながら大学院に通ってイタリア文学を研究していた。姉が倒れた時、もしも植物状態になったら金銭的に親に頼るわけにはいかない、と思ったたし気がまぎれることがしたかったので、最近は突然いろいろなアルバイトをした。病院、付き添い、徹夜の水商売、大学院、仮眠、ほとんど食べない…のくり返しで時が過ぎた。私が知ったことは、生活のパターンを変えると、お金は面白いくらいたまるということだった。留学の費用まで自分でかせげそうだった。

そういうわけで、病院には来ても、実家にはあまり帰っていなかった。電話では毎日話していたし、病院でも毎日会ったが、母の苦痛がどれほどか、想像もつかなかった。母こそが今にも倒れそうに見えた。いつも病院に来ると母は病室にいて、雑誌を読んだり、姉の細くなった体をふいたり、姉に床擦《とこず》れができないように体を動かしたり、看護婦さんと話しこんだりしていた。おだやか

そうに見えたが、内面に嵐が吹き荒れていることは、近くにいるだけで伝わってきた。

「風邪ひいたとか言っていたよ。」

境くんは言った。

くん、と呼んでいるうえに話しやすいから友達みたいに話していたが、彼はもう四十過ぎていた。

仕事も変わっていた。太極拳の特殊な流派の先生で、その思想と実践を教える教室を開いていた。そんなうさん臭い職業の人を私は他に知らなかった。しかし本も書いているし、生徒さんも確かにいるし、外国から弟子入りに来る人すらいるという。そういうのが成り立つこともあるのだということも、最近わかってきた。

私は、彼を、好きだった。ひと目見た時から。あやしい長髪も、変わった光を放つ目も、教えていることの難解さも、物事に対する意外なリアクションも、

奇人変人と呼ぶにふさわしい風格だった。

初恋が「みんなの前でおたまじゃくしを飲みこんでみせた徹くん」だったというくらい昔から奇人変人に弱い私としては、惹《ひ》きつけられるに十分な存在だった。そのせいか、姉はなかなか彼を私に会わせてくれなかった。鋭い女のカン、そして私の性格を知りつくした対応だった。あまりにも得体の知れない人だから、気をもんだのだろう。初めて会ったのは、姉がこうなってからだった。

お見舞いに来た彼を見て、憔悴《しょうすい》し切って少しハイになっていた私はひと目で「いいな！ この人」と思ったけれど、姉のことで頭がいっぱいだったから、気持ちを抑えた。私は比較的容易に自分の感情を抑えることができる。ひそかに心で切なさを楽しんだり、会話でどきどきしたりする隙すらなくなって、なかったことにまでもって行ける。そういうのは本当に好きで仕方ないわけではないのでは、とよくいろいろな時に姉に言われた。好きだと苦しくて、切なくて、抑えるなんてできなくて、たとえ誰かが死んでもつらぬきたくなるものよ、

そして人に迷惑をかけてしまったりするのよ、と。まあ、発言の傾向からすると、多分その時に姉は不倫の恋をしていたのだろう。

よくそんな姉を、楽しそうだな、と思って眺めていた。自分が死にそうになっても私に恋を勧めるだろうか。いつも、なによ、あんたはほれっぽいだけよ、一応、私のほうが本当に激しいのかもよ！　と言い返してみたりもした。

でも、いつもその性格の違いが本当に楽しかった。

そうこうしているうちに、この期間私は苦しみにのまれ、はじめに彼を気に入っていたことすら忘れてしまっていた。

今は初めて、多少の心の余裕があった。でも、その心の余裕とはつまり、私が姉をあきらめていく空間を意味していた。

「十一月ってなんだか空が高くて寂しいね。」

彼が言った。

「君は何月が好き？」

「十一月。」

「あっそう。どうして?」

「空が高くて寂しくて、心細いような感じがして、どきどきして、自分が強くなったような感じがするから。でも、なにか空気に活気が感じられて、本当の冬がやってくるのを待っている状態でもあるの。」

「俺も。」

「そうよね。なんだか、すごく好き。」

「俺もそうなんだ。そうだ、みかん食べる?」

「もうみかんの季節だっけ?」

「いや、なんとかかん、なんだったかな、名は忘れた。親戚の人が送ってきたってお母さんが言っていた。」

「誰だろう?　九州のおばさんかな。」

「知らない。」

「食べる。どこ?」

「ここ。」

彼は体を回して、TVの上の籠から丸い果物を取った。お見舞いの人だけのためにあるTVだ。姉が観ることはない、大好きなスマップの中居くんを観ることもうない。

「ああ、これ、お姉ちゃんの好物だ。」

私は言った。そのみかんのようなものは、姉が毎年楽しみにしていたものだった。

「そうなの、じゃ、かがせてやろう!」

彼はもうひとつその果物を取り、ふたつに割って、姉の鼻のところに持って行った。部屋中に甘くすっぱいいい香りが漂って、私はなぜか、ある光景を見た。

それは午後の光の中、ベッドに起き上がった姉が、笑って、

「いい匂い！」

とあの鈴みたいな声で言う場面だった。

もちろん実際にはそんなことは起こらず、白日夢だった。目の前の姉はいろいろな音を立てながら、暗い顔色で眠っていた。なのに、その匂いが喚起したその光景はあまりにも生々しく、久しぶりに姉の姿を見た私は、いきなり泣き出してしまった。

「見た？」

私が泣いているのにはおかまいなしに、境くんは目を丸くして言った。

「見たと思う。」

私は言った。

「お姉ちゃんにはやはりどこかで意識があるのかしら。」

「いいや、違うな。」

きっぱりと彼が言ったので、私はびっくりした。

「今のは、みかんが見せてくれた光景だ。みかんのほうが、くにちゃんに愛されたことをおぼえていて、なにかをよみがえらせて見せてくれたんだ。」

彼は言った。

頭は大丈夫だろうか、と私は思ったが、その後の、

「世界はなんていい所なんだろうね！」

と言った時の彼の笑顔があまりにもよかったので、私の中でまたもやなにかが爆発し、私は大泣きした。鼻水を出し、しゃくり上げ、ベッドにつっぷして、泣いた。自分でもどうにも止めることができなかった。もうこの際、間に入っているのがみかんでもぽんかんでもいいから、姉に会いたかったのだ。

私が落ち着くまで、彼は黙っていた。

「帰る、泣いてごめんね。」

私は言った。

「俺も帰る。」

彼は立ち上がった。
「でも一緒に出るとお姉ちゃんが寂しがってやきもちを焼くかも。」
私は言った。
「じゃあ、下の、売店の所にいて。」
と彼は言った。
そして目と目が合った時、私は恐ろしいことに気づいた。
彼が私を好きだということだった。ああ、そうなのか、と思った。
正直言って、嬉しかった。
でもどうしようもない、今はそれどころではないし、私はイタリアへもうすぐ行く。
外に出ると空は青く、売店では様々な病人や見舞客が集っていた。
深刻そうな人はなぜかいなかった。かなり具合の悪そうな人でも、にこにこ

していた。日だまりは暖かく、おいしそうな飲み物がたくさん並んでいて、なぜか皆幸福そうに見えた。病院は、弱っている人にとって、とても優しい空間だと思った。

やがて境くんがこちらにやってきた。

彼はなにに見えるだろう、と私は考えた。やくざではないし、勤め人でもないし、起業家、いや、そうだ、漫画家だ！　もしくは整体の先生っていうところかな、と思っているうちに、彼は近づいてきた。

「お茶でもして帰ろう。」

彼は言った。

「濃いコーヒーが飲みたい。」

私は言った。

「隣町にいい所があるよ。」

「歩いていこう。」

私たちは歩き出した。

何年も前からこうして歩いているような錯覚にとらわれた。実際は、ふたりきりになったのは今が初めてだった。姉があぁなっていなければ、知り合わなかったかもしれないこの人と、病院から、共に出て行くのは不思議な感じがした。人生はなにが起こるかわからない。私は目が腫れて、よくまわりが見えなかった。あれほど短期間に無心で思いきり泣いたのは、赤ん坊の時以来かもしれなかった。

空が高く、独特で透明で、木々の緑が少しずつ色褪《あ》せてゆこうとしていた。風の中に甘く、枯れ葉の匂いが漂っている気がした。

「これからどんどん寒くなっていくんだろうね。」

私は言った。

「そうだね。この季節のきれいさは、何回見ても見飽きることはない。」

境くんは言った。

いつ、その日は来るのだろう、私は思った。

「境くんは弟の行動をどう思ってるの？」

私はたずねた。

「彼らしい小心さだと思って、その変わらなさに感動すらおぼえる。心配なのは実家の歯医者の行く末だけど、性格が優しいし手先も器用だし、体も丈夫だし、大丈夫だろう。あの弱虫さでもしも外科をめざしてたなら、反対するけど。」

彼は言った。

彼の向こうにきれいな枯れ枝が見えた。まだ十一月だというのに、骨みたいな枝を天に伸ばしていた。彼の目を見ていると、安心できた。なにか深い強い光があって、なにをしても許してくれそうだった。

「うん、気が弱そうな人だとは、私も思っていたわ。」

「そう、だから、本当に正直だから逃げ出しただけでね。今頃、ごはんも食べ

ずに泣いていると思うよ。もうすぐ、心の整理がついて、死ぬ時には絶対に立ち会うと思うよ。」

彼は言った。

「今、見舞いに来なかったり、婚約解消をのんだりしているのが、特に悪いことだとは、俺は思わない。」

「私も。お姉ちゃんも思わないと思う。」

「人それぞれの受け入れ方だよね。」

「そう、私もなんだかんだ言って、未来に向かって準備しているし。行動としては大して変わらないよ。私も弟さんも。でも、そうね、お葬式とかには、来てほしい。」

「来るだろう、あいつのきっちりした性格だったら。」

「こうなっても結婚します、というくらいの障害だったら、彼は逃げなかったと思う？」

「仮定はありえないけれど、逃げなかっただろうね。今回のことは、その、仮定とは根本的に違っている。もう、死までに奇妙に時間が空いてみんなが奇妙なこの空間で決断めいたことをしているというだけで、本当はもう、くにちゃんは、ちゃくちゃくとこの世に別れを告げていっているのだと俺は、思う。」

私にはわかっていた。イタリア行きの手続きを始め、ほこりをかぶっていたイタリア語会話の本をまたがんばって開き出したとたんに、止まっていた時間が流れ出し、私の感情も戻ってきたのだ。

悲しいのは死ではない、この雰囲気だ。

あの、ショックだ。

ショックは頭の芯のところに残っていて、固まったままだった。どういうふうにしても溶けることはなかった。たとえ自分で自分はもうしっかりしてると思ったところで、その自信は姉の姿を思い浮かべると、すぐ消えた。

あの朝、姉は頭を押さえて台所に入ってきた。

私はたまたま前の夜から実家に戻っていて、リビングでコーヒーを飲んでいた。

姉に「コーヒー飲む?」とたずねると、姉は、

「すごく頭が痛いからやめておくわ。」

と妙に優しい声で言った。

私は姉がもうすぐ嫁に行き、しかもゆくゆくは彼が実家に帰って家業を継ぐために、もっと遠くに越してしまうことを思い、少し感傷的になった。もう、天窓の話をすることも、それが実現することもないのだと思った。

その時、めくるめく勢いで、子供時代の思い出がよみがえってきた。その空気や、匂いや、枕元に積んであった雑誌や、なにもかもだ。胸がつまるくらい、楽しいことばかりだったと思った。

そこで、頭痛にいいというハーブティーかなにかを、棚の中から探し出し、淹《い》れてあげた。姉はにっこりと笑って、それでアスピリンを二錠飲みくだした。

なんの予感もなかった。あれば止めただろう。

いつものパジャマに、いつもの髪型だった。

いつも今しか見ていないのに、どうして時の流れはこんなに悲しいのだろう。よく夢見がちでほれっぽい姉につきあわされて、姉の初恋の人の家の窓を夜中に見に行った。ふたりでひとつのウォークマンのイヤホンを片方だけ耳に入れて、その時好きな曲をくり返し聴きながら、夜道を歩いた。姉の好きな人には興味がなくても、姉の好きな人が住むマンションの下に立って、窓明かりを見上げるのは胸がきゅんとすることだった。星がいつも私たちの上にあった。音楽を聴きながら歩くと、アスファルトが近くに見えた。車のヘッドライトも美しく見えた。子供なのにナンパされたり、痴漢にあいそうになったりして、スリルがあった。それでも、ふたりで歩けば、こわいものはなかった。

感傷が、とじこめられていたあるブロックから、次々と流れ出していた。

死は悲しくない。感傷にのみこまれて息ができなくなるのが、苦しい。

この秋の高い空から逃げ出したい。そう思った。

「境くん、私になにをしたの？　涙が止まらない。」

「ぬれぎぬだ。」

彼は言った。言いながら、泣いている私の手を握った。

そのあたたかさはますます私を感傷的にした。

「今日は泣くデーなんだ、泣けばいい。」

「境くん、お姉ちゃんが好きだったの？」

私は言った。

「いや、君に近づきたくて、お見舞いに行ってたんだ。」

彼は言った。私は笑ってしまった。

「残念ね、私はイタリアに行ってしまう。」

「残念だね。」

彼は全然残念そうではなく、本音はつかめなかった。

「でも、お姉ちゃんを、知っていた？」

私は言った。

「知っていたよ。」

「お姉ちゃんのことをなにか話してみて。」

「うん。」

彼はすぐにうなずいた。

「弟が合コンで、別の女の子の電話番号を聞いて、メモを手帳に挟んで、部屋に帰ったら、くにちゃんがいて、手帳からひらりとメモが落ちて、くにちゃんがピンときて、目の前で手帳ごと引き裂いてた。」

「なにそれ。」

「俺は、泊めてもらうことになっていたから、その場にいたんだ。立ちこめる濃厚な怒りの空気を感じて、きっと、夜中にけんかになると思って耳栓して先に横になってたら、くにちゃんって実はさっぱりしてるんだな、と知った。後

は、普通だった。無理もせず、なかったことにするわけでもなく、普通だった。きれいな人だな、と初めて思った。それまでは怒るとこわそうな、平凡な女性だと思っていた。ふたりで、かわいい会話をしていた。明日、なに食べる？とか、お兄さんになにかおいしいものごちそうしてあげようよ、とか。公園の脇の新しいパン屋でパン買ってきてあげようか、いや、みんなで食べに行こう、休みっていいね、うん。とか言って、俺を起こさないようにこそこそ話していたよ。」

「わかるわ。それがお姉ちゃんだ。」

私は言ってまた涙が出てきた。

「なんでこんなに今日は泣けるんだろう。」

「それは悲しみではない、ショックなんだよ。当時のショックが、今、大詰めを迎えて、戻ってきているんだ。時間がかかるし、慣れることはできないと思う。」

「なぜ、なんでもわかるの？」

「君のことなら。」

彼は言った。

「うそでも、ありがとう。」

今でない時に、この状況でない時に話ができたらよかったのにな、と思った。今の私には時間と空間が必要だった。しかし彼ののんきさにはそんなことを気にさせないいくつろぎがあった。

店に入ると、人は誰もいなかった。

私たちは窓際の席にすわって、コーヒーを飲んだ。姉の存在以外全てが自然だった。姉が私の世界に、音もなく降る夢のように、しみこんでいた。まずいことにそれは私にとって、いやなことではなかった。ずっとこのままでもいいとさえ思えた。姉がこの世からいなくなるくらいなら、このほうがずっと優しい。

「くにちゃんがあの状態だからって、不幸だと誰に言えるだろう。」

境くんが言った。

「彼女のことは彼女にしかわからない。他の人が考えるべきことではない。考えるほどに、彼女が無力になっていく気がする。」

「私も、そう思う。私は、仲のいいきょうだいで、ずっと、幸せだった。きっと、今がいちばんきつい時なのだと思う。母は風邪ではなくて、精神的にまいっているのだし。でも、いつか必ず、違う雰囲気が私たち家族を包む日が来る。今、この窓から見える景色の中では、想像も許されないくらい、違う、いい雰囲気がやってくる。でも、それを待つのはもういや。はじめの頃は、奇跡が起こるのをずっと待っていたから。」

「いやで当然だよ。」

境くんはうなずいた。

「みんな、ショックを受けているんだ。俺くらい遠いものでさえ。あの、みか

んたちでさえ。くにちゃんがいないことに。」

「こんなことってあるんだね。今こうしている間にも、こういうことが世界中に満ちているんだね。病院の中にもたくさん、いる。いろいろな話をした。みんなのいろいろな決断を聞いた。今まで、こんな世界があることを知らなかった。」

「そうだよ。そして、そういう窓から見ているんだ。きっと。別の角度にいれば、そういう人たちがこの世にいることすら、思わないでいられる。でも、思ってても思わなくても、いつも、そういうことやいろいろなことが起こっている。」

「あなたはどっち？」

「目の前に来たことだけを、一生懸命思うタイプ。」

彼は言った。

私は初めて、本当に笑った。

笑っていると、全てを忘れた。

窓の外は商店街で、謎の音楽が、店に流れるモーツァルトをかきけしていた。思い入れも、希望も、奇跡もなく、姉がこの世を去って行こうとしている、意識もなく、体はあたたかく、みんなに時間を与えて。その時間の中で、私は小さく笑った。そこには永遠があって、美しさがあり、その中には姉がちゃんと存在していた。脳と体が別々に死んでいく日が来ることを、昔の人は想像しただろうか？

それはもはや死ぬ本人の問題ではなくて、まわりがふだん考えてもいなかったことを考える時間を確保するための、神聖な時間だった。

たまらなさに浸りこむほど、神聖さは汚された。

そして、こういう小さな、かすかな隙間にできたきれいな時間こそが、私には奇跡に思えた。たまらなさも、涙も消え、この宇宙の営みの偉大さがまたこの目の中に映るふとした瞬間、私は姉の魂を感じる。

そのことを、この男の人はよくわかっている、と私は思い、また少し深く、境くんに好意を持った。私にとって恋はいつも意外性と共に訪れる。どうしてこんな時にこんなことを思いつくのだろう？　ということをどんどんしてくれる人が好きだ。こんなに弱ってひしゃげていても、それは変わらない。

「十一月の夕方だねえ、秋の最後の匂いがするね。」

彼が窓の外を見ながら言った。

「あとは明るく過ごすしかないね。」

「無理しないで、明るくね。」

「どっぷりと浸りこんでいると、お姉ちゃんが遠くなると、お母さんも今朝言っていたよ。」

「お母さん、この短い期間によくそこまで言えるようになったなあ。」

街路樹の枝がちょうど見えて、若者たちが楽しそうに騒ぎながら古着屋を見ていた。そのとなりには八百屋があって、いろいろな色の野菜が電気に照らさ

れてきれいに見えた。柿の色。それから、ごぼうやにんじんの色。いくら見ていても飽きない、神様が作った色だ。

一ヶ月前の私は、まさか一ヶ月後に私がおだやかな気持ちで野菜賛美をしながらコーヒーを飲んでいるとは思えなかった。なにが起こるかわからない。私たち全員の心は、静かに姉の人生を送り出そうとしていた。いや、そのほうにやむなく傾きつつあった。静かに、秋が深まり、冬がやってくるように、正確にその道をたどっていた。

2、星

その夕方、私は姉の会社に行って、見ず知らずの涙なみだの人々にあれこれ声をかけられて、げんなりしたが、皆の気持ちは痛いほどわかった。

姉の机を整理していたら、となりの席の女の人が、「手が似すぎるくらい似

ている。」と言って、泣き出した。裸もそっくりですよ、と言ったが、笑ってくれるどころではなく、泣きながら早びけしていってしまった。

みんながお葬式みたいに、私に触りたがって、気味悪かった。でも、それもよくわかった。姉は明るくて働き者で、コンピューターに強かったということもまたよくわかった。しかも整理整頓をよくしていたために、ほとんど片づけるものがなかった。

ロッカーに入っていた、すごいスキー靴とか、始めたばかりのスノーボードの道具とか、なんで会社にあるんだろう？　と思われるものもたくさんあった。

姉のやりとりしていたメールをフロッピーに入れて、姉のコンピューターのハードディスクから姉の個人情報を消去する時、さすがに私は泣いてしまった。手伝ってくれていた姉の同僚の男の人も、泣いた。知らない人と、姉のいた秘書室で、ティッシュを渡し合った。その作業は、人工呼吸器につながれている姉の瞳孔が開きっ放しなのよりも、ずっと、悲しかった。そのことを言うと、

わかる、とその男の人も泣きながら言った。君といると、お姉さんといるみたいで、すごくつらい、と彼は言った。その声の出し方とか、動きとか、お姉さんがいなくなったことを、思い知らされる、と言った。お姉さんを思い出させる、と。

姉の生活を私はよく知らなかった。重役秘書だということしか。

でも、普通の人がひとりいなくなるだけでも、会社の人たちにこれだけのさざ波が立つ。それは永久に消えない。それを見ると、世の中は捨てたものではないと思った。もっと簡単に「会社がお姉ちゃんを殺したのよ！」と言える性格だとよかったけれど、姉を殺したのは姉と姉の運の悪さだったから、やつあたりもできなかった。それよりも姉が残した小さくてていねいでかわいらしい輝きだけが、胸に残った。この、愛する人たちが苦労しないように、姉は心と体を酷使したのだろう。誰も悪くない。そして、社会はきびしくて、がんばって引き継ぎをやろうとしている人に「早く帰って休まないと、脳出血するよ」

なんて告げてはくれない。

目が赤いふたりが作業を終えた頃、父がやってきて、姉の上司や社長に挨拶をしていた。

私と父は挨拶をして、大勢の人に手伝ってもらって姉の荷物を地下の駐車場に降ろした。二度とは会うことのない優しい、スーツ姿の人たち。なんとか荷物を積みこんで、私は手を振った。初めて会う人がほとんどだったのに、なぜか私は、自分がそこで働いていて、結婚退職するために荷物を運び出しているような錯覚を起こした。


「お父さん、どうして小さいほうの車で来るのよ。ワゴンで来いって言ったじゃない。」

車が走り出してから、初めて私は言った。

「お母さんが病院に乗って行っちゃったんだよ。お母さんも疲れておかしくな

ってるからさ、ひとりでなんのためらいもなく、ワゴンに乗って行ってさ。駐車場に行ったらこの小さい車だけが残ってたんだよ。しょうがないだろ。」

父は言った。

姉の荷物のおかげで、私は奇妙に折れ曲がった形で助手席に乗っていた。その角度だと、街の街灯が妙に迫ってきて、きれいだった。そして、星がたくさん見えた。胃は気持ち悪かったが、なんだか新鮮で、短い時間ならたえられそうだと思った。

「別にいいけど。」

「低い所からしゃべらないでくれよ。」

父が言った。

「しょうがないじゃない。足に頭のせてもいい？」

「いいよ。」

「子供に戻ったみたい。」

私は言った。父の太ももは昔のままの固さだった。

「若く美しい女の頭部に興奮しておちんちんを固くしないでね。」

「どうして、親に向かって、そんな下品な冗談思いつくんだ、おまえ。」

父は言った。星がきれいだった。街はどんどん流れて行った。

「お姉ちゃんな、もうすぐ呼吸器はずすってよ。」

それは、ほとんど、昔長く飼っていて父にいちばんなついていた犬が死んだ時の、

「ポチ死んだぞ。」と変わりなかった。そのくらい悲しみも深いということだった。

「なんでこんなことになったんだろう、悪い夢みたいだな。」

父は言った。

悪い夢。

「悪い夢だよ。」

私は言った。

そしてふたりとも、黙った。父のズボンの匂いをかいでいた。

車の中には悪いことに、姉の荷物から漂う姉の香水の匂いもした。

私は自分の香水をこの香水に変えよう、と思った。姉が後ろの席に乗っているみたいで、本当に子供の頃に戻ったようだったからだ。

よく、家族でドライブに行った頃に。

おませだった姉が十代の頃から使っていた、ゲランの香水。

「おまえ、あの男とつきあってるのか？」

父が突然言い、私ははっと我に返った。

「誰？　さっきの一緒に泣いてたお姉ちゃんの会社のデブの人のこと？」

「違うよ、あの、うさん臭い兄貴。」

父は言った。

「境くん？　そんなおつきあいじゃないよ。」

私は答えた。

「そんなふうに言わなくても。あの人いい人だよ？」

「だけどな、おまえがあの兄貴と結婚したりすると、あいつの弱虫な弟が、また親戚面して会いに来るのかと思うとたまらないんだよ。ああ、想像しただけで腹が立つ。」

父は言った。

「そんなことはないでしょう。それに、今はつきあうもなにもないもの。でも、お兄さんはすばらしい人だよ。私はそう思う。どっちにしても、弟のほうも、お姉ちゃんが好きになった人だから、悪く言いたいところだけど、悪く言うのよしておこうよ。」

「本気で言っているわけじゃないよ。でも、なんなんだ、帰っちまうってのは。冗談じゃないよ。そんな心がまえでうちの娘を嫁にもらおうとは、ふざけた奴だ。」

今は悪者が必要だと思い、かばうのはよした。だいたい、姉の婚約者だった人の性格をよく知らない。とにかく姉が彼を好きで、いつものごとく、熱狂していたということくらいだ。

「いざという時にあてにならない人に、嫁がなくて、よかったと思おう。」

私は、言った。

「いいわけないだろう。今が。」

父は言った。

「言っただけよ。」

私は言った。

「つらいなあ、つらいことだなあ。」

父の声が父のおなかから響いてきて、車に酔ったのもあって、私はまた泣いた。最近の私の涙、特に思い出につながっているものにはもうほとんど意味はない。あまりにも反射的に涙は出て、雀のおしっこみたいなものだった。父も

それを察して黙っていた。

そうしていても、生まれ育った街がびゅんびゅんと流れていった。

「お母さんまいってるかしら。今日は泊まろうかな。この荷物の整理もしたいし。」

私は言った。

「そうしてあげてくれ。」

父は言った。

「じゃあ、私がなにか作るよ。」

「鍋がいいな。熱いものが食べたい。」

「じゃあ、スーパーに寄って。」

暖かい車の中で、その会話をした時、あれっと思った。

またいい時間を過ごしてしまっていた。

姉はたまらなさだけではなく、ただただ濃い時間を与えてくれている、そう

思った。その世界では、いい時間は百倍よくなるのだった。その輝きをつかみとれないと、たまらなさだけがつのっていく。毎日がいい意味でも悪い意味でも戦いだった。姉をぼんやりした頭で送りたくなかった。

3、　音楽

数日後、姉の呼吸器ははずされた。そして、死亡を皆で確認した。

もう姉の脳は溶けているのだと、本で読んだ。でも、外から見たら、いつもどおりの、姉の顔だった。化粧をしたら、もっとそうだった。出勤して行きそうだった。姉の使いかけのファンデーションを触った。清潔な姉は鏡をきれいにしていて、スポンジもとてもきれいだった。ひとつずつに、姉を感じた。姉の好きな服を着せて、好きだった花を飾った。

姉はきれいな顔で、火葬場に運ばれて行った。

ぼんやりしてその時を迎えないようにしようと思ったが、やはりずっと、ぼうっとしていた。目がいやと言って、目の前のことを見ようとしなかった感じだ。そのあたりのことこそが、夢の中を泳いでいる感じだった。いつも頭がキーンとなっていて、目の前のことをてきぱきとするしかなかった。母は一日しか寝込まなかった。

境くんは姉の臨終の席にはさすがに来なかったが、弟は来た。父になぐられ、母に泣かれながらも、姉の最期をみとって、葬式の手伝いもしてくれた。そのへんのねばりはすばらしかった。私だったら、あんな目で見られているだけできっと、再び逃げ帰りたくなっただろう。彼と少し話もできた。悪くない人柄だった。本当は長く、ゆっくりと知り合っていって、よく顔を合わせるはずの人だった。しかし、こういう機会に話し、もう多分会うこともない人になる。縁とは不思議だ。しかし、来てもらえて、姉も喜んでいるだろう。恋に生きた女だったから。

姉が正式に死んで、お見舞いに行くことがなくなると、やはり寂しかった。昔姉にもらったなかなかなくならない海外旅行みやげのブルガリの動物せっけんが、もう動物の形でなくなって単なる丸い固まりになっているのに風呂で気づいた時など、私は号泣した。

時間が、行ってしまう。

いや、実はいつも時間は行ってしまっていたのだが、それを意識することが少なくて済んでいた。もう、ああいう無造作な気持ちにはなかなか戻れない。小さなことが胸に突きささる。このところ私の世界はまるで失恋した時のような感受性だった。

死にかけた姿でも姉の肉体に会いたいと、自分が思っていたことにあらためて気づいた。入院中は、無造作にそのせっけんをおろして使うことができたのだから。

イタリア語しか打ちこむことがないので、語学は上達した。

あとは、留学。そして、その間ちゃんと親のケアをするために、まめに連絡をすること。いい職を見つけるためにも、精力的に活動すること。自分の人生を中断したところから、歪んだ形で、あるいはなにかを得た形でとり戻すのには、すごいエネルギーがいった。もう両親の子供は私しかいない。そのことも常に頭を離れなかった。


境くんに会ったのは、お葬式の日と、それから一週間後の日曜日の夕方だった。彼に会うのは、なぜか夕方がふさわしいと思った。

私がお弁当の手配に喪服で駆けずり回っていた時、境くんを見かけたら、ほっとした。強い光、自分だけで立っている存在が、今、その心情を考えなくてもいい存在がこのお寺の中にいるというだけで、気がゆるんで、私はにこにこしながら駆け寄って行った。

「今度いつひま?」

彼は言った。

「こんな所でそんなこと言わないでよ。」

私は笑った。

「日曜は? 日曜ひま?」

彼は言った。

「うん、ひまだと思う。」

私たちは約束した。寺は午後の光に満ちて、のどかな感じだった。彼は散歩してくる、と墓地の中に消えて行った。

空は青に薄く白を混ぜたような、東京独特のあいまいな色をしていた。墓の木々は冷たく枯れ、みんな黒いコートを着て、カラスのように動き回っていた。寒さは感じなかった。ただ、境くんにほっとした。誰かが生きているだけで、その存在をこんなにも頼りにするという感覚を初めて知った。それは、自分が

小さな小鳥になって、巣の中から空を見ているような感覚だった。彼のうさん臭さも、でたらめさも、冷たさも、わけのわからない明るさも、責任感のなさも、みんな関係なかった。どこまでも広がっているその空間に、羽を休めた。それだけでよかった。それだけの関係かもしれなかった。これからも永遠に。

私は姉が死んでから、姉の好物のカレーばっかり食べていた。

だから、境くんとも当然カレーを食べに行った。

そのお店は変な店で、地べたにすわってインドカレーを食べる店だった。窓の外の人がじろじろ見ていく。でも、私たちは、汗をかきながら、ひたすらカレーを食べた。

「境くん、彼女いるの？」

私は言った。

「今は特に。友達くらいならいるけど。」

彼は言った。

「いつかまた、こういうふうに会えるかしら。」

私は言った。

「会えるだろう、そう遠くなく。」

「今は、タイミングが悪くてよくわからないけど。」

「今すぐにつきあおう、と言われたら、俺が驚くよ。」

「そう言えば、葬式で弟と話した。たくさん。」

「気が弱かっただろう？」

「うん、泣いてばかりいた。」

「あのね、経験したことがないことを、わけ知り顔で語るのがすごくいやなんで、あまりコメントしないけど、ごめんね。俺には、身近な人が死んだ経験はある。でも、こういう形ではなかったし、人の親になったことはないから、誰のことを考えても、弟についてさえも、うまくつかめていないんだ。もちろん、

くにちゃんのことも。君のことも。わからないけれど、どういうことが起こっているのか、一応自分の目と耳で見たこと、感じたことについてはつかんでいることもあると思う。すごく言いたいことがたくさんある。だけど、それは口からはどうしても出てこないんだ。」

あらたまった感じで彼は言った。

「こんなこと経験した人のほうが少ないよ。」

私は笑って言った。

「誰にも、わかってほしいとも思わない。でも、優しくしてくれているのはわかるよ。」

外に出ると、冬の星空があった。

「昔、読んだ本の中に、街角ですごく美しい音楽を聴いた時には、死ぬ時もその音楽が流れてくるというくだりがあった。主人公がある晴れた午後に街を歩いていると、向かいのレコード屋から、世にも美しい音楽が流れてきて、彼は

それをすわって聴くんだ。彼の精神的な師は、それは人間の生活のいかなる側面にも死が現れていることのしるし、彼の運命が彼に与えたしるしだと言うんだ。彼がこの世を去る時に、そのトランペットの最高の音色が、聞こえてくるだろう、と言うんだ。」

彼は言った。

「私はそれを経験したことがあるわ。」

私は言った。

「ある冬の午後、私はさっきの店にいたの。カレー屋さんよ。そして、ひとりでチャイを飲んでいた。レゲエ専門の有線がかかっていて、これまでに聴いたこともないようなマイナーなレゲエの曲が次々に流れていたわ。そして、その中のある曲が、私の頭に鮮明に、稲妻みたいに入ってきたの。男女が歌っていて、夏休みについての歌だった。それはどうでもいい、ろくでもない曲だったけど、私の頭の中に直接響いてきたの。冬だというのに、私の頭は夏の陽光で

いっぱいになった。そして、私は知ったの。私が死ぬのは、夏の午後だっていうことをね。確信したの。本当になるかどうかは、わからないわ。」

「きっとそれはそういうことなんだろうね。」

「お姉ちゃんの最後の曲はなんだったんだろう。」

私は言った。

冷たい風が街をふきぬけてゆく。人通りがまばらな住宅街を歩きながら、お茶ができるところまで、私たちは歩いていた。いつまでも道が終わらなければいいと私は思っていた。

「なんの曲かというのもわからないが、その最後はいつだろう？　意識がなくなった時？　大脳が損傷した時？　それとも、脳死の時？　呼吸器をはずした時？」

彼は言った。

「いつか自分でそれを確かめる日が来るんだ。」

きつい話題なのに、彼の口から出ると全然腹が立たなかった。

枯れ枝を伸ばす黒いシルエットの街路樹のトンネルを、くぐるように歩きながら、私はウォークマンをとり出した。

「お姉ちゃんが、最後に編集していたMDに、二曲だけ、入っていたのを、くり返し聴いているの。多分、それとこれとは関係ないんだろうけど。」

「なんの曲だった?」

「アース・ウィンド&ファイアーのセプテンバーとね、ユーミンの、旅立つ秋って曲。」

「めちゃくちゃだね! それ、秋っていうくくりかな。」

「きっとそうだよね。でも、ユーミンはわかる。お姉ちゃんは、松任谷との結婚を呪うほどの荒井由実ファンだったから。」

「ううむ。どっちにしても、世代が感じられる話だ。」

「歩きながら、一緒に聴こうよ。」

私は言って、昔姉としたように、お互いの耳に片方ずつイヤホンを入れて音楽を聴いた。それは偶然に、選ばれるでもなく、姉の最後の九月に流れていた曲だったはずだった。生きていたら、また編集されたり、つけ加えられたり、車の中で聴いたり、するはずだったのだろう。最後の九月、まだ夏の気配がある高い空を見上げて姉は最後の日々を過ごした。十一月、姉はもういなくなった。

「そう言えば、うちの弟はよくカラオケでこの曲を歌うよ。」

境くんは大きな声で言った。

「セプテンバーを？」

「うん。」

「変わってるー。でも、理由がわかった。」

「そうだよ、だから入れたんだと思うな。」

「うまいの？」

「弟のひとりアース？　うまいけど、こわいよ。」

「ふうん。」

ふたりで歌いながら歩いた。九月二十一日の夜をおぼえているかい？　と陽気に口ずさみながら。すると、耳元で鳴る音楽に合わせて、道がぐんと近くなり、空が大きく見えた。世界が少しだけ美しく感じられ、寒さも、夜の暗さも突然美しいきらめきに変わった。自分の足が大地を蹴る感触が、自分の鼓動と響き合うのがわかった。それはまるで、子供の時に姉と歩いたあの世界がよみがえってきたような感じだった。ああ、懐かしい、と私は思った。この感覚こそが、私をこの世に押し出し、育ててきた力だった。

音楽が、世にも陰気な荒井由実のその曲、なぜか姉がいちばん好きだったその曲にさしかかった時、境くんが言った。

「今は真冬で、君の心はショックで狂っている。でも、夏が来て、俺がイタリアに遊びに行ったら、君はイタリアの田舎町を案内してくれる？」

「もちろん！」

私は言った。

「俺も君もついてないわけじゃないよね？　この空気にのまれているだけだよね？　今はだめだね。でも、とにかく、今はだめだというだけだよね？」

「そう思う。」

私たちの目にはまだ、あの管や、呼吸器の音や、窓から射し込む痛い光が焼きついている。私は言った。

「晴れた午後に、毎日パスタを食べて、いろいろな景色を見にでかけよう。足が痛くなるまで歩いて、ワインを飲んで、同じ部屋で寝よう。夏の、暑くて仕方ない光の中で、今とは違う気持ちを、別の窓から見てみよう。それをするまでは、あなたを忘れることはない。変な時に知り合ったまま、終わらせたくない。でも今は、なにも考えられない。」

「うん。」

彼はうなずいた。

耳の中でただただ音楽が響いた。冬の星は誰と、いつ見上げても決して変わらないでそこにある。変わってゆくのは私だけだ。オリオンの変わらない三つ星がそこにあった。姉とよく競って見つけた形のまま。

…そう、多分その歌のとおりに、もう永遠にやってこない一度きりの今年の秋は、今夜まさに冬枯れの木立の間を抜けて、きっと、今夜遠くに去ってゆくのだろうと思った。そしてまだ見ぬ冬がいさぎよく、残酷にやってくるのだ。

この作品は一九九九年四月ロッキング・オンより刊行されたものです。

ハードボイルド／ハードラック

吉本《よしもと》ばなな

平成13年8月25日　初版発行

発行者——見城　徹

発行所——株式会社幻冬舎

〒151-0051東京都渋谷区千駄ヶ谷4-9-7

電話　03(5411)6222(営業)

03(5411)6211(編集)

振替00120-8-767643

印刷・製本—大日本印刷株式会社

装丁者——高橋雅之

万一、落丁乱丁のある場合は送料当社負担でお取替致します。小社宛にお送り下さい。

定価はカバーに表示してあります。

幻冬舎文庫

ISBN4-344-40159-X　C0193　よ-2-6